Cofio Mathonwy

Gwasg
Gwynedd

Argraffiad Cyntaf — Awst 2001

© Gwasg Gwynedd 2001

ISBN 0 86074 175 3

*Cyhoeddwyd ac Argraffwyd
gan Wasg Gwynedd, Caernarfon*

Cynnwys

Cofio Mathonwy 1901–1999

(Darllenwyd yr englynion hyn yn Amlosgfa
Bae Colwyn, ddydd ei angladd, 8 Mai, 1999)

Am ei wên a'i gymwynas – yn wastad
　　Tystiai pawb o'i gwmpas;
　　Un â'i drem yn llawn o'i dras,
　　Doethion yr hen gymdeithas.

Yn y wasg brwydrai'n esgud. – Â gair chwyrn
　　Ar gyrch âi yn danllyd;
　　Ymroi dros Gymru o hyd
　　Â'i ddeifiol gerddi hefyd.

Bu bron ganrif o'u rhifo – yn waddol
　　O flynyddoedd iddo;
　　Ni weddai'r trist heneiddio,
　　Ieuanc yw eto'n ein co'.

Y gŵr cyhyrog, iraidd, – o rodiad
　　Direidus-fachgennaidd;
　　Gŵr hael, bonheddig i'r gwraidd,
　　A gŵr llên yn gawr lluniaidd.

Derwyn Jones

Atgofion am Mathonwy

DERWYN JONES

Y tro cyntaf i mi glywed am Mathonwy oedd ar fy
mlwyddyn gyntaf yn fyfyriwr ym Mangor pan letywn
yng Ngholeg Bala Bangor a rhannu ystafell â Tom Henry
Williams o Ben-y-groes, Arfon.

Myfyriwr hŷn na'r cyffredin oedd Tom, wedi cael gyrfa
amrywiol cyn dyfod i'r coleg i wneud gradd mewn
Saesneg ac Athroniaeth. Yr oedd yn ŵr galluog iawn ac
yn feirniad craff ar farddoniaeth Gymraeg a Saesneg.
Elwais lawer ar ei farn dros y blynyddoedd, nes ei farw
ym 1994 yn 81 oed. Ar ôl treulio rhai blynyddoedd yn
athro ysgol, bu'n ffermio'r Berth Ddu Fawr ym
Mhontllyfni.

Soniodd Tom wrthyf am gyfaill iddo o'r enw
Mathonwy Hughes a oedd yn nai i Silyn a'i fod yn fardd
ac yn gynganeddwr rhugl. Byddai'n cystadlu'n fynych ar
yr awdl yn yr Eisteddfod Genedlaethol, ac ar y funud olaf
deuai â'i awdl i Tom i'w theipio. Byddai Tom yn ei
geryddu, gan ei fod yn sylweddoli y gallai wneud yn
llawer gwell o ymbwyllo ychydig.

Daeth enw Mathonwy Hughes yn hysbys yn ddiwedd-
arach drwy *Baner ac Amserau Cymru*, ond gŵr dieithr
oedd i mi'n bersonol.

Byddwn yn ystod y blynyddoedd hynny'n mynd i Fae

Colwyn ar nawn Sadyrnau ac yr oeddwn wedi sylwi ar ŵr anghyffredin o dal â bag lledr bach yn ei law yn croesi o fws a ddeuai o Ddinbych at fws a âi i Gonwy.

Ar ôl gweld ei lun mewn papur newydd ym 1956, pan enillodd y gadair yn Eisteddfod Genedlaethol Aberdâr, y sylweddolais mai hwn oedd y gŵr y soniai Tom Henry gymaint amdano.

Ond daethom i gysylltiad â'n gilydd trwy lythyr pan ofynnodd imi gyfrannu i'r gyfrol *Awen Sir Ddinbych* yn y gyfres 'Barddoniaeth y Siroedd' a gyhoeddwyd ym 1964.

Ni bu cysylltiad uniongyrchol rhyngom wedyn, er y byddai'r bardd-feddyg o'r Hen Golwyn yn sôn llawer amdano oherwydd yr oedd y ddau'n ffrindiau mynwesol, ond un noson ym 1977 daeth gair dros y ffôn gan Pari Huws yn dweud fod Mathonwy wedi cael Ysgoloriaeth Syr Ifor Willliams, a'i fod i ddyfod i Goleg y Brifysgol ym Mangor i wneud astudiaeth o waith ei gyfaill Gwilym R. Jones. Cyhoeddwyd y gwaith ym 1980 dan y teitl, *Awen Gwilym R.*

Yr oeddwn innau erbyn hynny wedi hen blwyfoli ar staff Llyfrgell y Coleg a'r Llyfrgell Gymreig dan fy ngofal.

Y drefn oedd fod Mathonwy yn rhoi gwybod i mi dros y ffôn pa bryd yr oedd yn dyfod, a minnau'n casglu'r defnyddiau ynghyd i arbed amser iddo. Awgrymais hefyd ei fod yn dyfod â'i fwyd gydag ef, am yr un rheswm, ac yn cael paned i'w lyncu gyda mi yn fy ystafell. Deuai erbyn canol y bore a dychwelyd ddiwedd y pnawn, ar ôl paned arall tua phedwar!

Ni welais neb yn mwynhau cymaint arno ei hun. Yr oedd wrth ei fodd yn chwilota ac yn cyfarfod â hwn a'r llall, yn fyfyrwyr ac yn aelodau o'r staff.

Yn aml iawn byddai cyfeillion eraill yn ymuno â ni i gael pryd ganol dydd, yn arbennig Gwyn Thomas. Yn hwyr yn y pnawn galwai Bedwyr Lewis Jones heibio a bu'n garedig iawn wrth Mathonwy. Yr oedd hen gysylltiad rhyngddynt – tad Bedwyr, Percy Ogwen Jones, yn newyddiadurwr ac wedi bod yn Ysgol Clynnog gyda Mathonwy gynt.

Byddai Mair, priod Mathonwy, wedi paratoi'n helaeth, a byddai cacen anferth bob amser i'w rhannu. Sgwrsio afieithus wedyn a chynganeddu diddiwedd – 'Gwŷr llên yn gacen i gyd' ac ati. Yr oedd hyn i gyd yn peri difyrrwch mawr i Gwyn Thomas oherwydd byddai Mathonwy a minnau'n cynnal sgwrs ar gynghanedd: cwpledi ambell dro, neu linellau unigol o wahanol hyd, heb falio am yr odl.

Bu un digwyddiad digrif a gofiaf. Yr oedd rhyw gyfaill o'r enw Skinner yn gwneud ymchwil ar Batagonia ac yn defnyddio papurau newydd a oedd mewn staciau ar lawr isaf y Llyfrgell. Pan oedd Mathonwy ar drywydd rhyw bapur neu'i gilydd, byddai Skinner yn bownd o fod wedi symud y staciau, a oedd yn rhedeg ar olwynion. I ychwanegu at y dryswch, yr oedd y goleuadau uwchben y staciau wedi eu camleoli ac yr oedd yn dywyll fel bol buwch.

Roedd Mathonwy un tro'n bustachu yn y tywyllwch eithaf a gwaeddais innau arno:

'A oes gannwyll gan Skinner?'

Daeth yr ateb fel ergyd o wn o grombil y tywyllwch:

''Alla fod, rhyw gannwyll fer!'

Fel y dywedais, yr oedd Mathonwy a'r Dr. Gwilym

Pari Huws yn hen gyfeillion, a minnau bellach yn un o'r drindod ddireidus. Byddem yn ffonio ein gilydd yn barhaus neu'n ymweld â'n gilydd. Byddai rhyw chwarae triciau diddiwedd; dieithrio'r llais dros y ffôn ac anfon englynion doniol a chrafog at ein gilydd. Byddai Gwilym R. yn gocyn hitio mynych ac yn mwynhau'r cyfan, wrth gwrs.

Un tro yr oedd rhaglen ar y cyfryngau, y radio mi gredaf, ac erthygl yn y *Radio Times* yn Saesneg yn dwyn y teitl gogleisiol 'Jones the Baner', gyda darlun o Mathonwy a Gwilym R. yng nghanol rhyw bentwr o bapurau. Roedd y ddau, yn hollol gyfiawn, wedi cwyno ar eu byd, ond dyma'r englyn a luniais ar gais Pari Huws:

> Hwn sydd ben 'Jones the Baner', – a thano
> Mathonwy ddibryder;
> Un fel ŵy, a'r llall yn flêr,
> Ar eu heistedd mewn braster!

Coffa da hefyd am streic y post, a'r ddau hen gyfaill mewn pryder mawr a dyfodol *Y Faner* mewn perygl. Dyma anfon englyn cywaith y tro hwn, gwaith Pari Huws a minnau:

> I'n paradwys daeth pryder, – streic y post
> Streicia pawb mewn amser:
> Hwylia Math a Gwilym R.
> Tua'r fynwent â'r *Faner*.

Dwysáu yr oedd pethau ac ni allai'r golygyddion gael deunydd, a gorfu i'r ddau, a'r Dr. Kate Roberts, os da y cofiaf, lenwi'r colofnau orau gallent. Lluniodd Mathonwy erthygl faith yn condemnio dewiniaeth, ar ôl bod yn darllen llyfr ar y pwnc. Yr oedd yn hwyl gennym i chwarae ar y gair 'Math', a dyma anfon hwn iddo, o'm gwaith i y tro hwn:

Myth o fath yw'r math o fwyd – i enaid
    Mathonwy, gawr briglwyd;
    Aeth y rôg i fath o rwyd,
    Yn y cofen y'i cafwyd.

Achlysur arall a barodd gryn ddifyrrwch i Pari Huws oedd fformat newydd *Y Faner*, 'Nid mini ond macsi mwy', chwedl yntau. Dyma anfon dau englyn cywaith i'r golygyddion ddewis p'run i'w gyhoeddi yn *Y Faner*.

Gwilym R. a'r *Faner* fwy, – a hefyd
    Yr hyfedr Fathonwy
    A redodd am ryw adwy,
    Dalen oedd eu hangen hwy.

Gwilym R. a'r *Faner* fwy – a hefyd
    Yr hyfedr Fathonwy;
    Blaenorion cad gwlad tan glwy,
    Rhedant i bob rhyw adwy.

Afraid dweud mai'r ail englyn a ymddangosodd!

Gŵyr ei gyfeillion nad oedd Mathonwy heb wylltio weithiau y tu ôl i olwyn ei gerbyd, gan feio pawb ond ef ei hun wrth gwrs.

Adeg Eisteddfod Genedlaethol Bangor 1971 fe'i daliwyd yng Nghonwy yn y dagfa ddiarhebol a nodweddai'r cyfnod hwnnw. Ychydig ddyddiau cyn hynny yr oedd ef, Pari Huws a minnau wedi bod yn trafod dwyieithrwydd.

11

Dyma'r englyn hwn gan Mathonwy yn ymddangos yn *Y Faner*, 5 Awst, 1971:

Profiad Modurol

Diorffwys yw'r fodurffordd. – Ofnadwy
　　Yw trafnidiaeth cefnffordd,
　Uffern yw teithio'r briffordd
　Â rhyw ffŵl yn hawlio'r ffordd.

Nid oeddwn i, oherwydd fy mhrofiad bob dydd yn trafaelio i Fangor, ac oherwydd rhyw anhwylder, wedi mentro i'r Eisteddfod ac anfonais yr englyn hwn dan y ffugenw 'Y Gŵr call sy'n osgoi'r ciw' at Mathonwy:

Ar daith caed teiriaith, nid dwy. – Rhegi wnaeth,
　　Rhegi'n uwch yng Nghonwy;
　Rhoes ciw mawr, am awr a mwy,
　Iaith Annwn i Fathonwy.

Daeth ateb mewn englyn cywaith – gwaith Mathonwy a Pari Huws dan y ffugenw 'Deuwr Duwiol a'i Cant':

'Y gŵr call sy'n osgoi'r ciw' – ydwyt ti,
　　Sidêt iawn, sy'n edliw
　Eirias grawc y diras griw,
　Daeargryn y modurgriw.

Yn dilyn gaeaf caled un flwyddyn, yr oedd y garreg ar fedd tad Pari Huws, sef y Parchedig William Pari Huws, awdur yr emyn 'Arglwydd Iesu, llanw d'Eglwys' wedi ei difwyno a bu'n rhaid ei hailosod. Yr oedd Pari Huws erbyn hyn â philen ar y llygaid ac wedi rhoi'r gorau i yrru'r cerbyd. Gofynnodd i mi a fuaswn yn mynd ag ef i fynwent y Brithdir, Dolgellau i weld fod y garreg wedi ei gosod yn iawn, a hynny fu.

Roedd camera gan Pari Huws ac yr oedd wedi tynnu llun y garreg, a nifer o gerrig beddau eraill yr un pryd. Ymhen ychydig ddyddiau galwodd Mathonwy heibio Pari Huws, gan aros hyd yn hwyr yn ôl ei arfer. Cofiodd Pari Huws ei fod wedi tynnu llun Mathonwy ychydig ynghynt a rhoes lun iddo mewn amlen, heb sylwi'n iawn beth oedd. Pan agorodd Mathonwy yr amlen drannoeth, gwelodd mai llun carreg fedd a gawsai. Lluniais innau englyn ar gais Pari Huws; englyn toddeidiau y tro hwn, un o hoff fesurau Mathonwy, ond a gondemniwyd yn ddiarbed gan John Morris-Jones, fel y dywedodd Pari Huws wrtho fwy nag unwaith:

> Un go fawr fel carreg fedd – yw wyneb
> Mathonwy ysgoyw-wedd;
> Diarwybod arabedd – hen ddoctor
> O'i ddrôr wnaeth esgor, math o gymysgedd!

Byddai Pari Huws yn crefu ar Mathonwy i arafu. Yr oedd Pari Huws ar wyliau ym 1975 gyda'i ferch Mair yn Llansilin a daeth neges bryderus oddi wrtho fod Mathonwy wedi bod yn bur wael a'i fod wedi cael triniaeth lawfeddygol yn Ysbyty Alexandra yn y Rhyl, ond ei fod yn gwella. Yr oedd yn y 'Duke Ward' ac yr oedd hynny wedi goglais Pari Huws yn arw. Mynnai i mi wneud englynion, a chofio ceryddu Mathonwy am beidio â gwrando ar Mair, ei wraig. Dyma'r cerydd:

I'r Prifardd Mathonwy yn y 'Duke Ward',
Ysbyty Alexandra, y Rhyl, 17 Mai, 1975

Fu dwylath o'i fath efô – tua'r Rhyl
   'Rioed yn troi ar fendio?
  Aeth o'i hwyl, hwyl o'i fath o,
  Duwc annwyl mae'n *Duke* yno.

Wedi'r Rhyl a'i dreialon, – onid cu
   Gallt-y-coed i'n gwron?
  Daw awr y *Duchess* dirion,
  Ufuddhaed o'i fodd i hon.

Wrth y post â nerth pastwn, – onidê,
   Rhaid cloi'r dyn mewn dyfnjwn;
  Unwaith caiff brofi Annwn
  Ufuddhau fydd nefoedd hwn.

Rai blynyddoedd yn ôl, tynnwyd darlun rhagorol o Mathonwy gan Philip Michen ar gyfer erthygl arno yn y *Daily Post.* Yn y darlun y mae'n eistedd yn gartrefol o flaen tanllwyth o dân mewn grât a phopty yn y gegin, a'i esgidiau i'w gweld y tu cefn i'r gadair. Nid oedd Mathonwy yn hapus ar hynny, neu o leiaf yr oedd yn cymryd arno nad oedd. Yr oeddwn yn awyddus i gael copi da o'r darlun, ond cyndyn iawn oedd i anfon un. O'r diwedd fe ildiodd ac anfonais innau'r englyn hwn ato:

    Gward Dinbych yw'r gŵr tanbaid – yn y llun,
      Llenor a bardd telaid;
     Gyda rhwysg ei godi raid
     Ar y mur mewn ffrâm euraid.

Roedd y darlun yn ei wynebu mewn lle amlwg pan ddaeth yma. Yn briodol iawn, atgynhyrchwyd y darlun yn rhifyn coffa *Y Bigwn*, papur bro Dinbych, pan fu farw'r bardd. Byddai'n ddiddorol gwybod beth fyddai ei ymateb!

Byddai'n arfer gennyf ers blynyddoedd i lunio englyn i'w gyfarch ar ei ben-blwydd neu i ddathlu unrhyw ddigwyddiad trawiadol yn ei hanes.

Dyma englyn a luniais pan gafodd driniaeth lwyddiannus i dynnu pilen oddi ar ei lygad:

Dyn yw hwn am weld yn well – y gwŷr mân
    A'r gwŷr mawr, llawn dichell;
    Gwêl, heb os, y gwael o bell
    I'w grafu â'i ysgrifell.

Daliodd i wella a dyma englyn arall ar ei ben-blwydd yn 91:

Â'i gwêl ef, na fyn hefyd – nad ugain
    Yw'r nawdegwr llonfryd;
    Doyen y beirdd, dewin byd,
    Ercwlff â'r llygad barcud.

I'r anghyfarwydd, Hercules yw Ercwlff. Yr oedd wrthi'n brysur yn englyna pan oedd yn 93, a dyma englyn i'w gyfarch:

Mae'n dal i gynnal y gân – a'r dwned
    Â brwdaniaeth syfrdan;
    Y bardd mawr uwchlaw'r beirdd mân,
    Gwyntyll y manus gwantan.

Wele un enghraifft arall ychydig yn ddiweddarach:

Un tal a chryf fel tulath, – er ei faint
  Mae'n rhyw fwyn Oleiath;
  Yn dalach na'n beirdd dwylath,
  A'i awen fawr yr un fath.

Yn fuan ar ôl Nadolig 1980 cafodd fy modryb, a oedd wedi fy magu ar ôl imi golli fy rhieni, strôc. Yr oedd yn bur ffwndrus ers dyddiau ac yn gwrthod yn bendant imi alw'r meddyg. Un noson yr oedd pethau wedi mynd yn bur chwithig, a thua un ar ddeg o'r gloch y nos, ffoniais Mathonwy er mwyn cael gair gyda Mair, a oedd yn nyrs broffesiynol, a chefais gyngor ganddi. Ond ymhen ychydig dros hanner awr, daeth cnoc ar ddrws y cefn a gwelwn siâp het Mathonwy drwy'r gwydr yn y drws. Yr oedd ef a Mair wedi gyrru ar unwaith o Ddinbych i Fochdre a buont gyda mi tan oriau mân y bore. Dyna sut rai oeddynt ac nid anghofiaf eu caredigrwydd tra bwyf.

Ar ôl marw fy modryb ac i minnau ymddeol byddent yn galw'n fynych ac yn aros hyd yn hwyr. Bryd arall byddwn i yn picio i Ddinbych, gyda Pari Huws nes iddo lesgáu, ac ar fy mhen fy hun wedyn.

Soniodd lawer am ei ddyddiau cynnar wrthyf, ei fam ddiwylliedig, a Silyn ei ewythr a fu'n ddylanwad mawr arno.

Byddai W. J. Gruffydd yn galw'n fynych yn ei hen gartref ym Mrynllidiart a byddai Mathonwy yn eistedd ar ei lin yn gwrando'n syfrdan arno'n dweud pethau mawr a'i fam yn dweud wrtho, 'Paid ti â choelio pob peth y mae Yncl Gruffydd yn ei ddeud wrthat ti.' Y mae rhywbeth yn ddoniol i mi fod Mathonwy wedi eistedd ar lin W. J. Gruffydd, o bawb.

Un peth diddorol a ddywedodd Mathonwy wrthyf, ar

dystiolaeth Silyn, mai'r Athro William Lewis Jones, Athro Saesneg Coleg Prifysgol Bangor, ac awdurdod ar y chwedlau Arthuraidd a ddewisodd 'Ymadawiad Arthur' a 'Trystan ac Esyllt' yn destunau'r awdl a'r bryddest yn Eisteddfod Genedlaethol Bangor ym 1902. Y gred gyffredinol yw mai John Morris-Jones a awgrymodd y testunau. Yr oedd Silyn yn hen fyfyriwr i William Lewis Jones ac yn edmygydd mawr ohono. Beth amser yn ddiweddarach wrth ymchwilio i hanes Robert Williams Parry, daeth yr Athro Bedwyr Lewis Jones ar draws cofnod yn ategu yr hyn a ddywedodd Silyn wrth Mathonwy.

Yr oedd ochr ddifrifol a dwys i Mathonwy ac y mae perygl inni anghofio hynny. Yn wir, nid oedd yn hapus o gwbl iddo ennill y Gadair Genedlaethol â'i awdl ffraeth 'Gwraig' yn Aberdâr ym 1956. Dyma'r flwyddyn y priododd ef a Mair ac yn rhannol i'w phryfocio hi ac i gael hwyl gyda'r beirniaid y lluniodd yr awdl. Nid oedd yn fodlon i'w hail-argraffu mewn cyfrol ar ôl hynny. Dichon fod ynddi rai pethau rhy sathredig, ond y mae'r grefft yn dda, y gerdd yn wir ddoniol, ac yn llawer gwell na llawer o awdlau awdlaidd, marwanedig.

Hyn i gyd, er bod gan Mathonwy feddwl mawr iawn o T. H. Parry-Williams, un o'r beirniaid. Teg dweud fod gan Parry-Williams feddwl mawr iawn o Mathonwy hefyd, fel y tystiodd ef ei hun wrthyf mewn sgwrs.

Daw digwyddiad dwys iawn i'm cof sy'n gysylltiedig â Parry-Williams yn darllen rhai o'i gerddi a darnau o'i ryddiaith rai blynyddoedd yn ôl. Pan oedd yn darllen o'r ysgrif 'El ac Er' sy'n sôn am yr hen frawd John a fyddai'n galw i swper ar nos Sul yn Nhŷ'r Ysgol, Rhyd-ddu o bryd i'w gilydd, a Parry-Williams yn cyfeirio'n arbennig at y tro hwnnw yr aeth yr hen ŵr, yr oedd nam ar ei leferydd, i weddi a dweud, 'Ma mam wedi malw, a nhad wedi malw, a minna fel delyn bach,' gwelwn y dagrau'n cronni yn llygaid Mathonwy. Sychodd ei lygaid â chefn ei law a bu'n ddistaw iawn am gryn amser.

Ni flinai Mathonwy â sôn am Parry-Williams, Williams Parry, Gwynn Jones a Llew G. Williams, yr heddychwr mawr a'r beirniad llenyddol craff yr ysgrifennodd R. Williams Parry amdano mewn ysgrif yn dwyn y teitl 'Anatiomaros', a ail-argraffwyd yn *Rhyddiaith R. Williams Parry* a olygwyd gan Bedwyr Lewis Jones. Ystyriai Mathonwy erthygl Llew G. Williams: 'R. Williams Parry: ei Gân a'i Genadwri' a gyhoeddwyd yn *Baner ac Amserau Cymru*, 11 Medi, 1924 yn un o'r pethau gorau a ysgrifennwyd ar *Yr Haf a Cherddi Eraill.*

Dangosodd Mathonwy ei edmygedd o R. Williams Parry yn ei gyfrol *Perlau R. Williams Parry*, ond nid yw wedi cynnwys popeth yn honno ychwaith. Er enghraifft, byddai'n siglo chwerthin wrth adrodd stori am ryw fachgen yn llowcio bara brith yn nhe parti'r capel ac R. Williams Parry yn rhythu arno'n syn a dweud:

> Bara brith, heb oeri bron,
> A gladd yn ei goluddion.

Ni flinai sôn am yr hyfforddiant a gafodd yn Ysgol Clynnog gyda R. Dewi Williams. Gwnaeth hwnnw iddo ysgrifennu traethawd chwe gwaith er mwyn iddo wella ei arddull yn Saesneg. Nid anghofiodd ei Ladin, a dengys ei lyfr *Chwedlau'r Cynfyd* fod chwedloniaeth Groeg a Rhufain yn dal i'w ddiddori yn ei henaint.

Cafodd hyfforddiant da iawn gan Dewi mewn Lladin. Yn wir, oni bai am amgylchiadau teuluol buasai wedi mynd ymlaen i Goleg y Brifysgol ym Mangor. Bu yno am ryw fath o arholiad ac ymddangosodd ef a rhyw ferch o Saesnes o flaen yr Athro Lladin, E. V. Arnold. Rhoes ddarn o Ladin i'r ferch i'w ddarllen a'i gyfieithu ac yna i Mathonwy. Darllenodd y ferch y Lladin mewn acen grand ac fe'i dilynwyd gan Mathonwy â'i acen Gymreig. Meddai Arnold yn sychlyd, 'Thank you, Mr. Hughes, that is how Latin should be pronounced,' a'r ferch druan yn gwrido at ei chlustiau.

Ymddiddorai yn y Mabinogion, wrth gwrs, a mawr oedd ei hwyl yn dweud fel yr oedd cymdoges wedi gofyn i'w fam ym mhle yn y Beibl y cafodd yr enw Mathonwy. Hithau'n egluro mai o'r Mabinogion y cafodd o, a'r wraig yn dweud, 'A minnau wedi bod yn chwilio drwy'r Hen Destament am oriau'.

Cefais stori ddiddorol iawn amdano gan ei gefnder, y Parchedig Alwyn Thomas, awdur cyfrolau poblogaidd iawn i blant megis *Teulu'r Cwpwrdd Cornel*. Ymddengys fod dosbarth o fechgyn pur anystywallt yng nghapel Tan'rallt a gofynnwyd i Mathonwy fynd atynt yn athro. Cydsyniodd yn llawen. Bu'r cyfnewidiad yn rhyfeddol. Roedd pawb yn cymryd diddordeb yn y wers. Popeth yn iawn, nes yr aeth un o swyddogion yr Ysgol Sul heibio at y dosbarth a gweld nad llyfryn y maes llafur oedd gan aelodau'r dosbarth ond llyfr ar Ddatblygiad. Yr oedd Mathonwy wedi prynu copi i bob un o'r bechgyn, a hwnnw o'r un lliw â'r gwerslyfr swyddogol. Canlyniad hyn fu chwalu'r academi fechan ar unwaith!

Daliodd Mathonwy yn fodernydd digymrodedd hyd y

diwedd. Daliodd hefyd i fawrhau'r gwerthoedd Cristionogol ac yr oedd gweinidogion y Gair ymhlith ei gyfeillion agosaf.

Trist oedd ei weld yn dadfeilio'n raddol, a thrist oedd gweld Mair, a oedd gymaint yn iau nag ef yn dadfeilio o'i flaen. Yr olwg olaf a gefais arno oedd yng nghynhebrwng Mair. Lluniais yr englynion canlynol er cof amdani:

Cofio Nyrs
(Mrs Mair Eluned Hughes, Gallt-y-coed, Dinbych.
Priod y Prifardd Mathonwy Hughes)

Daliodd i wella dolur, – yn addfwyn,
    Yn reddfol gymesur;
  Prysurai lle gwelai gur
  Ac eisiau'r rhai digysur.

Yn hygar galonogi – llawer cylch,
    Llwyr eu cwyn o'i cholli;
  Bydd sôn am ei daioni,
  A'i chefnogaeth helaeth hi.

O'r trymwaith, wedi'r tramwy, – lle dôi gŵr
    Gallt-y-coed, ceid arlwy;
  Ceid gair ffraeth, ceid maeth, ceid mwy, –
  Maeth i enaid Mathonwy.

Y peth trist oedd na allai Mathonwy ymateb iddynt mwy. Ar gais Mr. Berwyn Roberts, lluniais y cwpled canlynol i'w roi ar lwch y ddau ym mynwent gyhoeddus Dinbych:

Er rhoi'r llwch i'r heddwch hir
O go' nid â'r ddau gywir.

Mathonwy

DAFYDD OWEN

Mae'n debygol y bydd nifer yn yr ysgrifau hyn yn teyrngedu ar sail adnabyddiaeth agos o Mathonwy, a chaf innau, felly, y cysur o leiaf o fod mewn sefyllfa wahanol. Gan fy mod wedi ymadael â thref Dinbych ers llawer blwyddyn cyn iddo ef gyrraedd yno, galw yno ar fy nhro y byddwn, neu i ryw achlysur arbennig, ac felly yn taro arno yn achlysurol yn unig, ac weithiau yn galw i mewn am sgwrs.

Rydw i'n teimlo fy hun yn gymaint pregethwr ag erioed y tro hwn, a thri phen taclus gennyf i'r Bregeth! Yr oedd tri chymal i'n perthynas â'n gilydd, sef yr alwedigaeth, yr aelwyd a'r atgof.

Yr alwedigaeth i ddechrau. Gadewais yr Ysgol Sir yn Ninbych pan oeddwn yn bymtheg oed a mynd i weithio i Swyddfa Gee fel clerc a phrentis gohebydd (gan imi ddysgu llaw-fer cyn mynd). Yr oedd y gohebydd hynaf, a fu'n fraich dde hyd yn oed i Thomas Gee ei hunan, yn bedwar ugain oed ac ar fin ymddeol, fe dybid. Ond nid oedd ar frys i wneud hynny a theimlai Kate Roberts a Morris Williams, perchnogion newydd y Swyddfa, yn sgîl ei gyfraniad maith a gwerthfawr mai eu dyletswydd oedd parchu ei ddymuniadau. Ond nid oedd angen tri gohebydd – a'r 'olaf i mewn oedd y cyntaf allan'. Ond rhag i neb ildio i ddagrau cydymdeimlad â mi, prysuraf i ddweud y byddai'r Cyngor Sir yn cynnal arholiadau i benodi clercod bryd hynny, a chyn pen y mis yr oeddwn yn ei beicio hi'n braf y saith milltir a hanner at fy ngwaith yn Swyddfa'r Sir yn Rhuthun bob dydd.

Yn y man, oddeutu adeg y 'Genedlaethol' yn y dref, daeth Gwilym R. Jones i Swyddfa Gee o'i swydd yn Lerpwl. Hybodd y tri ohonynt, y perchnogion a Gwilym R. lawer iawn ar Gymreictod y dref a'r Cyngor Trefol. Cyn bo hir, daeth Cymry pybyr eraill atynt, rhai fel Bryan Jones a'r peiriannwr a'r bardd o Aberteifi, W. R. Jones (claf 'Rhosydd Moab') i rymuso eu cyfraniad fwyfwy. Byddem, fel aelodau tîm Dinbych yng nghyfres 'Ymryson y Beirdd' ar y radio, yn cael ein hyfforddi gan Gwilym R. yn ei gartref yn 'Bryn Teg', a sylwyd yn fuan ei fod yn sôn yn aml am ryw Mathonwy Huws, cyfaill dawnus iddo o Nantlle.

Ddiwedd y pedwar degau, a minnau bellach yn tynnu at ddiwedd dyddiau Coleg ym Mangor fel myfyriwr diwinyddol, bu farw Bryan Jones, a gofynnwyd imi dreulio'r gwyliau haf hwnnw yn ceisio llenwi'r bwlch fel gohebydd yn Swyddfa Gee hyd ddyfodiad Mathonwy. Ac er mor drist y rheswm am y trefniant, mwynhad pur oedd dychwelyd at y gohebu a'r cywiro proflenni, ac yn y blaen. Ac yn goron ar y cyfan, cael cwmni y ddau Gymro mawr o Nantlle, heb sôn am y perchnogion. A byddai hynt a helynt y Swyddfa yn bwnc parod a blasus yn gyson wedyn rhwng Mathonwy a minnau, bob tro y cyfarfyddem.

Ail gymal ein perthynas oedd aelwyd Math ei hun. Dwyflwydd oed oeddwn i pan ddaethom i lawr o'r Rhiw

(Bylchau) i Ddinbych. Prynodd fy nhad bedwar tŷ bychan wrth Ysgol Lôn Goch, ac â dwylo dethau saer coed troi dau ohonynt yn un tŷ i'r teulu niferus. Yna, 'gosod' y ddau arall, yr un drws nesaf i Isaac Davies a'r tri phlentyn, Mair yr hynaf, Hywel a Glyn. Teulu tawel oedd 'teulu drws nesaf', Cymry wrth gwrs, ond heb fod â pherthynas glòs â chyfarfodydd a chymdeithasau. Ni welid y fam allan ymron byth, dim ond pan sgwrsiai weithiau ar ben drws. Ond ni chafwyd lle i'w beio fel cymdogion parod eu cymwynas. Nid byd llyfrau oedd eu byd, fel mae'n digwydd, ond roedd y tri phlentyn yn feddylgar, ac fel y tad a'r fam yn 'gweld ymhell'. Aeth Mair yn weinyddes i'r Ysbyty Meddwl ar gwr y dref, ac wedi i Mathonwy gael amser i ymsefydlu, y peth nesaf a glywid oedd fod Math a Mair yn mynd i briodi a mynd i fyw i Stryd y Dyffryn, ar ganol yr allt hir a serth sy'n arwain i'r sgwâr. A dyna pryd y ces achos i gredu mai heb ei chyfle y bu Mair ar hyd y blynyddoedd. Pan alwn heibio iddynt, rhyfeddwn weld y fath ddiddordeb oedd ganddi yn sgwrs lenyddol Mathonwy a'i gynhyrchion. Hyfryd yw'r cof sydd gennyf am 'griw'r *Faner*' ar faes y Brifwyl, – yn llawen tu hwnt, yn mwynhau'r gymdeithas a'r hwyl a'r Cymreigrwydd i gyd. Ail gymal fy mherthynas â Mathonwy oedd y testun sgwrs oedd inni yn sgîl y ffaith i Mair a minnau gael ein plentyndod y drws nesaf i'n gilydd – sôn am chwaraeon plentyndod, a'r cymeriadau amrywiol oedd yn amlwg yn y dref bryd hynny. A byddai llygaid Math yn gloywi wrth wrando ar Mair a minnau yn ategu atgofion ein gilydd.

Trydydd cymal ein perthynas â'n gilydd yw'r atgof y llwyddodd Mathonwy i'w ddatrys imi.

Pan es i Fangor yn 1942, – yn dair ar hugain oed am fy mod wedi dechrau cael blas rhywun ifanc ar ennill cyflog gweddol, – un o weithwyr selocaf Mudiad Addysg y Gweithwyr oedd Mrs. Mary Silyn Roberts, gweddw bardd 'Trystan ac Esyllt'. Ond hyn oedd yn ddryswch i mi: lle bynnag y byddai Mrs. Silyn fonheddig, byddai yn codi ei llaw arnaf mewn cyfarchiad. Hyd yn oed petai ymhlith nifer o'i chyd-addysgwyr yn sgwrsio, plygu drosodd ac yn codi ei llaw! Minnau heb ei chyfarfod erioed nes dod i Fangor! Ond yn sydyn ar ryw sgwrs, ymhen blynyddoedd, meddai Mathonwy, oedd yn nai i Silyn Roberts, 'Oes rhywun erioed wedi dweud wrthoch chi eich bod chi 'run ffunud â Silyn pan oedd o'n ifanc? Mi trawodd fi ar unwaith pan gwrddes i chi gynta'.' Tebygrwydd, meddir, hyd yn oed yn y nam gwddf sydd arnaf fi o'm geni, ac a ddaeth i ran Silyn, meddir wrthyf, o ganlyniad i ddamwain. Un o atgofion Mathonwy ar sgwrs, ond un yn datrys rhywbeth a fu'n ddirgelwch blynyddoedd i mi.

Byddwn wrth fy modd yn ei gyfarfod bob amser, y gŵr tal a'r wên barod. Ac at hynny wedyn, rhyw linell ffraeth, gynganeddol, wrth ysgwyd llaw. Tybiaf fod llawer o swildod yn ei natur ac, mewn trafodaeth cylch, 'torri i mewn' â sylwadau cynorthwyol y byddai, ac nid 'torri allan' yn herfeiddiol. Mwynheais ddarllen ei gyfan-soddiadau graenus fel llenor a Phrifardd. Ond cyfaddefaf yr un pryd mai'r argraff ddyfnaf a gawn oedd ei fod yn fwy o gwmnïwr na dim, – y 'Cyfarwydd' gynt, a'r gwmnïaeth yn bwysicach yn ei olwg hyd yn oed na'r gelfyddyd. Bu yn Ysgol Clynnog a bu'n ddisgybl ac athro ynglŷn â dosbarthiadau nos yn Ninbych a Bro

Hiraethog. Clywais dystio hefyd ei fod yn bur hyddysg mewn ieithoedd ar wahân i'r ddwy a arferir gennym yn ddyddiol. Diau iddo haeddu llawer mwy o fanteision nag a ddaeth i'w ran, ond yr oedd yn enghraifft wych o fywyd Cymru gynt ar ei buraf ac ar ei orau.

Cofiaf alw yn yr Ysbyty yn Ninbych un nos Sul, (wedi bod yn pregethu yn y dref) i weld Kate Roberts oedd yn orweiddiog yno ar y pryd. Yn ddigon naturiol, fe ddaeth Swyddfa Gee i mewn i'r sgwrs. Doedd dim pall ar ei gwerthfawrogiad o gyfeillgarwch ac o gyfraniadau Gwilym R. a Mathonwy i fywyd y swyddfa, y dref a'r genedl, a'i hunig feirniadaeth – un ysgafn at hynny – oedd fod Mathonwy wedi gwneud llai na chyfiawnder â'i allu, a'i fod wedi ildio i'r gymdeithas yn fwy nag i'w gelfyddyd: 'Nid ffraethineb sydyn ydi eitha gallu Mathonwy, 'tae o'n ymneilltuo yn amlach, ac yn mynd ati o ddifri.'

Y mae llu yn ei ddyled fel Athro'r dosbarthiadau a Golygydd 'Y Golofn Farddol' pan oedd yn Is-Olygydd *Y Faner*. Cyfaill diweniaith a diwenwyn oedd, ac fe adawodd fwlch rhwth o'i ôl.

'Wel, tyrd i mewn, machgen i...'

R.M. (BOBI) OWEN

Fûm i'n ymwelydd cyson â Gallt y Coed bob yn ail ddydd Iau, tua thri o'r gloch y prynhawn, erbyn y byddai Mair a Mathonwy wedi cael cyntun bach ar ôl cinio.

Fuo 'na 'rioed lawer o drefn ar bethau yno – papurau newydd, cylchgronau a llyfrau a llythyrau (rhai ohonynt heb eu hagor) yn bentyrrau o flerwch ym mhob man ond roedd llond y lle o groeso. Mair bob amser ar y soffa yn mwynhau tanllwyth o dân hanner ffordd i fyny'r simdde, heb unrhyw sgrin i rwystro'r gwreichion oedd yn saethu i bob cyfeiriad, a Math yn ei gadair freichiau a honno heb fod hanner digon o faint i dderbyn ei chwe throedfedd a thair modfedd.

Gan amlaf, Math fyddai'n ateb y drws, 'Wel, tyrd i mewn, machgen i, tyrd at y tân i ti gynhesu,' a gwên fel giât ar ei wyneb annwyl. Wedi cyrraedd yr ystafell fyw a chael hyd i rywle i eistedd yng nghanol y papurach, byddai Mair yn cymeryd yr awenau ac yn dechrau holi ynglŷn â chlecs y dre. Cafodd Mair ei geni a'i magu yn Ninbych ac yr oedd hi'n ymfalchïo yn y ffaith ei bod yn aelod o hen deulu andabyddus Hanner Coron.

Er bod Mathonwy yn eitha' bodlon ar hyn – rhaid cofio ei fod ef yn y dre ers dros hanner canrif – teimlwn bob amser ei fod yn ysu eisiau trafod ei ddiddordebau niferus yntau, er nad oeddwn yn agos at fod yn gymwys i wneud hyn. Roedd gallu Mathonwy Hughes fel llenor ac athronydd ymhell y tu hwnt i'm cyraeddiadau pitw i. Hoffai sôn am hynt a helynt y W.E.A. a'i brofiadau wedi teithio'n bell i berfeddion Mynydd Hiraethog i gynnal dosbarthiadau. Hoffai hefyd drafod hanesion hen botsiars Dinbych – fûm i'n gyfrwng flynyddoedd yn ôl i gael Math ac Isaac Jones, Tan y Coed (yntau'n un o botsiars gorau Dinbych) at ei gilydd am brynhawn. Dotiai Math glywed am yr hen arferion ynglŷn â'r grefft ac am yr aml frwydrau gyda'r plismyn a'r ciperiaid. Cymerai ddiddordeb arbennig yn y termau a'r eirfa oedd yn cael eu defnyddio.

Gan fy mod â diddordeb arbennig yn llysenwau Dinbych a'i dalgylch, roedd gan Math ddiddordeb yn y rheini hefyd. Cael eu hadnabod yn ôl eu cartrefi a'u llefydd gwaith oedd yr arferiad decini yn yr ardal wledig lle ganwyd ac y magwyd Mathonwy.

'Dweda sut gafodd Maer y Domen ei enw,' a chyn fy mod wedi cael cyfle i orffen, byddai Mair wedi ehangu a newid ar y stori.

'Wel, gad i Bobi ddweud y stori yn ei ffordd ei hun, Mair.'

'Dwi'n hŷn na fo ac yn nabod y bobl yn well.'

Ie, Mair oedd yn cael ei ffordd ei hun bron bob amser ond, daw hi at hynny, roedd Math yn ddigon bodlon ar y sefyllfa.

Cofiaf un prynhawn i mi alw yng Ngallt y Coed a'r Parch Geraint Vaughan Jones, yr awdur, yn digwydd bod yno. Newydd alw roeddwn i yn Siop Clwyd i nôl copi diweddaraf *Y Casglwr*. Wedi i mi eistedd dyma'r

Parchedig – un digon awdurdodol a phendant ei farn – yn holi a oeddwn wedi prynu unrhyw lyfr ail-law diddorol yn ddiweddar. Wedi i mi ateb yn negyddol, fe ddywedodd ei fod newydd yrru swp o lyfrau yn ymwneud â hanes Lerpwl a Glannau Mersi at ei gyfaill, y Parch D. Ben Rees.

'Dyna beth od,' dywedais gan agor *Y Casglwr*, 'Mae gan D. Ben Rees hysbyseb yn fan hyn yn cynnig llawer o lyfrau felly ar werth, ac am brisiau uchel iawn hefyd.'

Dyma'r Parchedig yn neidio ar ei draed, yn cydio yn y papur ac yn dechrau cynhyrfu a dweud y drefn. Tra oedd hyn yn mynd ymlaen, fedrai Math ddim cadw rheolaeth arno'i hun. Aeth ei wyneb yn goch, llifodd y dagrau i lawr ei ruddiau a dechreuodd ei gorff hir siglo nôl a blaen. Erbyn hyn roedd y sefyllfa wedi mynd yn hollol annioddefol a Mair a minnau yn chwerthin fel ffyliaid. Wrth gwrs, cellwair oedd y cwbl, nid llyfrau Geraint Vaughan Jones oedd ar werth, ac erbyn iddo ddod ato'i hun, chwarae teg iddo, fe welodd ochr ddigri'r digwydd-iad. Ond roedd o'n destun siarad yn y Gymdeithas Gymraeg nesaf.

Stori arall oedd honno pan ddaeth Alun Williams, y BBC i gyfweld â nifer o Ddinbychwyr y tu allan i'r Farchnad – yn eu plith Mathonwy, Dei Edward Roberts, newyddiadurwr Gwasg Gee a Bob Kenyon Wynne, cymeriad lleol, a minnau, gan ein holi ynglŷn â hanes y dref. Bob Kenyon oedd y cyntaf ac yr oedd yn disgrifio'i hun fel 'The Memory Man' am ei fod yn gallu cofio popeth am hanes tîm pêl-droed Dinbych. Gofynnwyd iddo pwy oedd yn gwrthwynebu Dinbych yn ffeinal Cwpan Amatur Cymru yn 1924. Lovell's Athletic oedd yr ateb cywir ond aeth cof Bob Kenyon druan yn gwbl wag. Mwya'n y byd yr oedd y creadur yn ceisio dod o hyd i'r ateb, mwya' roedd Mathonwy, Dei Edward a minnau yn chwerthin.

'Wel, deuda'r ateb wrtha i, Dei,' plediodd Kenyon ac yntau'n laddar o chwys erbyn hyn.

'Gad lonydd iddo, Dei,' sibrydodd Mathonwy, gan ei fod yn mwynhau ei hun gymaint.

Erbyn hyn roedd y sefyllfa wedi mynd yn gwbl af-lywodraethus a bu raid i Alun Williams roi terfyn ar y cyfweliadau am y tro. Pwysig yw cofio bod Mathonwy yn mwynhau donioldeb a hwyl fel hyn – efallai mai dyna beth a'i cadwodd mor ifanc ar hyd y blynyddoedd. Gwir y dywedodd y bardd–

Hagr yw gwg, prydferth yw gwên,
Does neb sydd yn gwenu yn myned yn hen.

Ie, un ifanc, llawn hiwmor oedd Mathonwy Hughes erioed.

Y stori ddigrifaf glywais i am Mair a Mathonwy oedd yr amser yr aeth y ddau i'r Rhyl un gyda'r nos gyda'r bwriad o weld y ffilm ddiweddaraf yn sinema'r Odeon (Llewych yr Odeon, mor llachar ydoedd) sef Emmannuelle. Wrth gwrs, disgwyl roeddent cael gweld epig Feiblaidd, a chan eu bod yn aelodau selog yn y Capel Mawr, mawr oedd y siom a'r cywilydd pan welsant mai ffilm rywiol oedd hi. Cododd y ddau mewn braw ac ofn (o gael eu gweld?) a sleifio allan i ddiogelwch y stryd fawr. Chlywais i erioed yr un o'r ddau yn cyfeirio at y digwyddiad ond mi hoffwn feddwl bod Math, yn ddistaw bach, wedi cael ambell bwl o chwerthin wedyn.

Dro arall, tra'n ymweld â'r Inffyrmari yn Ninbych, a Mair yno'n glaf, aeth Mathonwy i mewn i'r ward gan wenu ac ymestyn bag papur iddi.

'Hwde,' meddai, a'r wên arferol ar ei wefusau, 'ychydig o frechdanau i chdi, mae rhai yn gig, eraill yn gaws.'

Pan agorodd Mair y bag, er mawr syndod iddi hi, a Math hefyd, yn lle'r brechdanau dyna ddau ddarn o sebon! Yn anffodus roedd y creadur, yn ei frys ar ôl paratoi'r brechdanau mor ofalus, wedi codi'r bag anghywir. Mawr fu'r chwerthin unwaith eto a Math yn mwmian drosodd a throsodd, 'Wel myn dian i, sut wnes i'r fath gamgymeriad?' Hyd y gwn i, fo fwytaodd y brechdanau i'w de y diwrnod hwnnw. Synnwn i ddim pe bai wedi cyfansoddi englyn i nodi'r digwyddiad.

Gofynnais i Mathonwy un diwrnod, petai'n gallu pontio amser, pa dri unigolyn y byddai'n dewis cael bwrw noson o sgwrs yn eu cwmni. Dyma'i ddewis – yn gyntaf, ei gyd-lafurwr ar *Y Faner* ac yn rhengoedd y Blaid am flynyddoedd: Gwilym R. Bu'r ddau'n gyfeillion mynwesol o'u harddegau a mawr oedd y disgwyl wedi i'r ddau ymddeol, pan fyddai ymweliad wythnosol Gwilym R. â Gallt y Coed yn agosáu; yn ail R. J. Huws y bardd-of, ddaeth o drwch blewyn (collnod a bod yn gwbl gywir) i gipio'r wobr am ei englyn i'r Hen Eglwys yn Eisteddfod 1939 Dinbych; ac yn drydydd Elis Williams, Brifi Lôn, Dinbych, hen gymeriad cadarn o'r siort orau, lle bu Mathonwy yn lletya cyn iddo briodi.

Yn dilyn hyn, gofynnais iddo pa dri Chymro yr oedd yn eu hedmygu fwyaf. Chefais i mo'r ateb yr un diwrnod ond ymhen pythefnos, a Math yn cyfaddef ei fod wedi cael cryn drafferth a mwynhad tra'n myfyrio amdanynt –

yn gyntaf, Derwyn Jones, Mochdre, cyn-Lyfrgellydd Prifysgol Bangor am ei wybodaeth anhygoel am lyfrau a llenyddiaeth; yn ail y Parch. R. Dewi Williams, awdur *Clawdd Terfyn* a chyn-brifathro Ysgol Clynnog pan oedd Mathonwy'n efrydydd yno; ac yn drydydd, yr anfarwol R. Williams Parry, yn ôl Mathonwy 'bardd na fu ei debyg erioed'.

'Ond mi ges i drafferth mawr i ddewis,' meddai. 'Beth am y Parch J. T. Roberts, Gŵr y Doniau Da, T. Gwynn Jones ac, wrth gwrs, y Parch J. H. Griffith, gweinidog y Capel Mawr?'

Gweithiodd Gwilym R. a Mathonwy, a llu o rai eraill, am gyflog pitw iawn yng Ngwasg Gee – llafur cariad oedd eu hysbrydoliaeth ac er bod Mathonwy yn barod iawn i gydnabod gallu llenyddol a dyfalbarhad Kate Roberts yn wyneb llawer o anawsterau, doedd ganddo fawr i ddweud amdani fel unigolyn.

Dynes go bendant oedd Mair, hithau wedi bod am flynyddoedd yn nyrsio yn Seilam Dinbych ac wedi gorfod gofalu am ei brawd, Hywel, wedi iddo gael damwain yn ei waith. Soniodd y ddau lawer gwaith am ddiwrnod eu priodas.

Dylanwad pwysig ar fywyd Mathonwy oedd ei fam annwyl. Bu farw ei dad yn gymharol ifanc a bu hyn yn fodd i glosio Math a'i fam yn nes at ei gilydd. Soniodd lawer am ei fywyd cynnar ym Mrynllidiart ac am ofal tyner a dylanwad ei fam. Bu Mrs Hughes yn ymwelydd gweddol gyson â Gallt y Coed ac y mae tystiolaeth eu bod yn gohebu â'i gilydd. Roedd Silyn, enillydd Coron Bangor yn 1902, yn frawd i Mrs Hughes ac yn amlwg roedd yntau hefyd wedi dylanwadu ar gymeriad

Mathonwy. Dyma sut y datblygodd gysylltiad hir Mathonwy â'r WEA.

Ar y pared uwchben y lle tân yn ystafell fyw Gallt y Coed, mewn llythrennau bras roedd y geiriau, 'Heb Dduw, Heb Ddim, Duw a Digon' Yn ôl Mair, paentiwyd y geiriau yno yn amser Mrs Hughes Ysbrydion. Gwraig weddw ac aelod ffyddlon gyda'r Temlwyr Da oedd Mrs Hughes a fu farw yn 1912. Byth ers hynny bu traddodiad cryf yn Ninbych bod ei hysbryd yn dal i grwydro'r tŷ. Credai Mair yn gyfan gwbl yn y stori a soniodd yn aml iawn ei bod wedi gweld yr hen ledi. Yn groes i'r disgwyl byddai Math hefyd, i ryw raddau, yn derbyn yr ofergoeliaeth. Derbyniais ddau gerdyn post gan Mair, un yn dangos llun o Mrs Hughes a'r llall yn dangos ei bedd ym mynwent Henllan.

Er fy mod yn edmygu'n fawr ei allu fel llenor, fel athronydd ac fel darlithydd, i mi y pethau amlycaf yn ei gymeriad oedd ei larieidd-dra, ei dynerwch, ei foneddigeiddrwydd, ei ddigrifwch ac yn bennaf oll ei gyfeillgarwch. Heddwch i'w lwch ddyweda i.

Yn bumlwydd oed (1906).

Gyda'i fam a'i nain.

Ysgol Nebo. Mathonwy yw'r ail hogyn o'r dde yn y rhes ganol.

Brynllidiart, ei gartref, fel yr oedd yn 1926.

Brynllidiart yn y chwedegau. Bellach mae'n adfail llwyr.

Y Mathonwy ifanc a'i foto beic.

Ei fam, Mathonwy a Mrs Mary Silyn Roberts.

Mathonwy a Mair ar ddydd eu priodas.

Gallt y Coed, y cartref yn Ninbych.

Aduniad efrydwyr Ysgol Clynnog i anrhydeddu'r hen athro,
Y Parch. R. Dewi Williams yn 1955.

Ar faes yr Eisteddfod yn Aberdâr 1956 ar ôl ennill y Gadair.

Maer Dinbych, John Jones, Cefn Du, yn ei longyfarch ar ei fuddugoliaeth yn 1956. Yn y llun hefyd mae ei fam, Mair ei wraig a Gwilym R. Jones.

Ysgol Undydd y WEA yng Nghaernarfon cyn yr Ail Ryfel Byd.

Yng nghyfarfod mabwysiadu Dr Dafydd Alun Jones yn ymgeisydd seneddol dros Blaid Cymru yn etholaeth Dinbych, 1959.

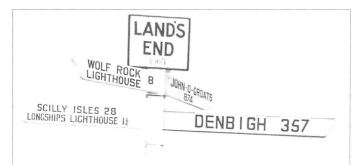

Mair a Math ymhell o Ddinbych yn 1965!

Gyda'i gyfaill a'i gyd-weithiwr Gwilym R. yn 1989.

Eisteddfod Genedlaethol Dyffryn Clwyd 1973. Gyda'i gyd-feirniaid yng nghystadleuaeth y Gadair – James Nicholas a Gwyn Thomas.

Criw'r Faner ar raglen 'In the News' (TWW) yn 1967. O'r chwith: Gwyn Evans, Gwilym R. Jones, Mathonwy Hughes ac Eifion Evans. Mike Towers yw'r holwr.

Ym mhabell Y Faner yn ystod Eisteddfod Bro Dwyfor 1975. O'r chwith: Gwilym R., Mathonwy, Mair, Myfanwy ac Olwen, merch Gwilym R.

Mair a Mathonwy gyda'u hen gyfaill Dr Gwilym Pari Huws yng Ngarthewin.

Gyda thîm ymryson Cwmlline yn Eisteddfod Powys 1957. O'r chwith: Haydn Pughe, Eirig Humphreys, Iorwerth Jones, Idris ap Harri.

*Gyda Mair y tu allan i gartref un o'i arwyr, T. H. Parry-Williams,
yn 1987.*

Y Prifardd Mathonwy Hughes yn 90 oed

Er iddo wreiddio ym mhriddyn – ein bro,
    A dwyn bri i'n Dyffryn,
    Daw i'w gof y cyfnod gwyn
    Yn nhawelwch Cwm Silyn.

Un oedd ei fywyd a'i waith – her ei swydd
    Oedd crwsâd yr heniaith;
    Rhoddodd ei gyfan ganwaith,
    Rhoi ei oll er mwyn yr iaith.

Llafuriodd dros well yfory; – yn llwyr
    Er lles ei gyd-Gymry;
    I'r Faner yn biler bu,
    Gwelodd ei diogelu.

Ei ddawn mewn dyddiau anodd – oedd yn hwb
    I ddwyn aur i'r weirglodd;
    Â'i orau y llafuriodd,
    Rhoi ei hun iddi yn rhodd.

    Yn ei winc fe welwn ni
    Yr hwyl fu 'mro'r chwareli;
    I bob oed bu 'rioed yn frawd –
    Yn hogyn am naw degawd.
    Ieuanc yw wrth dynnu coes,
    A'i go hefyd mor gyfoes.

Ei weld yn syth fel soldiwr
A ddaw a ch'wilydd i ŵr
Hanner ei oed; wrth rodio
Ei het yw ei drêd marc o.
Fraich am fraich ei Fair yr â
Yn hwyliog i gapela.

Sgwlyn abl yr ysgol nos,
Bu'n wych dros bob un achos
O bwys, heb fod yn bwysig,
Na'i roi ei hun ar y brig.

A'r hyn rydd falchder inni –
Mae yn un ohonom ni.

JOHN GLYN JONES

Codi cwr y garthen

OLWEN ROBERTS (MERCH GWILYM R.)

Mae'n rhaid fy mod yn fechan iawn pan ddaeth Mathonwy Hughes i Fryn Teg am y tro cyntaf. Cofio edrych i fyny ar ddyn tal, tal yn sefyll yn y drws ffrynt a'i ddillad ddim cweit yn ei ffitio. Modfedd neu ddwy o hosan i'w gweld rhwng yr esgidiau a godre'r trowsus a rhyw fac digon ffwrdd â hi yn cuddio'r gweddill ohono. Uwchlaw'r dillad, yn lefel â phen y drws, wyneb hir, trwyn hir a gwên lydan, lydan a'i rhoddai ymysg pobol glên y byd 'ma.

'Wel,' meddai, 'a dyma'r hogan fach y clywais i gymaint amdani.' A dyma fo'n fy nal yn ei ddwylo mawr ffeind a 'nghodi i fyny i'r awyr hefo 'hwrê' fawr. Dyna serio cyfeillgarwch a fyddai'n para tra byddai. Dywedai fy nhad yn aml na ellid rhoi pris ar gyfeillgarwch; pe gellid, byddai'r berthynas rhyngddo fo ac Yncl Math wedi bod yn werth ffortiwn fach. Pontiodd y cyfeillgarwch hwnnw sawl degawd a thrwy 'nhad y daethom ninnau fel teulu hefyd i'w groesawu a'i dderbyn fel ffrind ac i'w fabwysiadu fel Yncl Math.

Er amled yr anghydweld a'r tanio go wyllt fu rhyngddynt ar brydiau roedd cyfeillgarwch 'nhad â Math yn gadarn iawn. Dadleuai'r ddau am bopeth dan haul ond cytunent ar bethau sylfaenol a phwysig bywyd.

Ar ôl marwolaeth Bryan Jones, is-olygydd *Y Faner* yn 1949, apwyntiwyd Math i'r swydd yn ei le ac mae atgofion lu amdano yn y swyddfa echrydus honno yng Ngwasg Gee. Roeddwn yn reit hoff o alw yno ar ôl yr ysgol neu ar fore Sadwrn. Yno y byddent, un a'i getyn a'r llall yn smocio sigaréts fel trwpar, a chnoi *chewing gum* ar yn ail, a'r mwg glas yn donnau uwchben y blerwch ar ddesgiau'r ddau. Roedd hi'n anodd drybeilig i rywun dieithr ddod o hyd iddynt, achos ar ôl dringo'r grisiau cerrig y tu allan, roedd yr ogof lladron o stafell a alwent yn 'swyddfa' yn union y tu ôl i swyddfa Dr Kate. Os oedd angen trafodaeth deuai'r wŷs drwy ryw ddrws cwpwrdd o beth oedd yn y wal rhwng y ddwy swyddfa. Yn y wal arall roedd 'na esgus o ffenest yn edrych allan dros fuarth y gwaith ac ychydig iawn o amser a dreuliwyd gan y ddau yn edmygu'r olygfa honno. Ar ôl diwrnod gwaeth na'i gilydd cyfeiriai Math at y lle fel 'y blwming Coldits 'cw,' a gallech werthfawrogi'r gymhariaeth hefyd.

'Sut ma'i?' calonnog oddi wrth Yncl Math wrth i mi agor y drws, gan droi at fy nhad ac ychwanegu ar yr un gwynt, 'ma'r hogan 'ma wedi tyfu eto,' er mai dim ond yr wythnos cynt yr oeddwn wedi ei weld ddwetha! Clirio a thacluso oedd fy niléit yn y dyddiau hynny ac yn methu â deall pam roedd yn rhaid i rywun fod mor gythreulig o flêr.

'Paid â symud dim,' erfyniai fy nhad, 'neu fydd dim posib ffendio dim byd.'

Chredech chi ddim ond roedd ganddynt ryw fath o system ffeilio. Doedd hi ddim yn un soffistigedig iawn ond roedd hi'n gweithio. Weithiau cawn roi trefn ar y fasged sbwriel a dyna'r cwbl. Wedyn mi welwn fod y ffenest angen sgwrfa. Ar ôl rhwbio a 'stachu am ychydig cawn lond bol a byddwn yn fwy na pharod i'w throi hi am adre, ond nid cyn i Yncl Math roi chwe cheiniog i mi a chanmoliaeth am fy nhrafferth.

Cyn priodi deuai'n aml iawn i Fryn Teg, gyda'r nos gan amlaf, ac arhosai am ei swper a rhyw sgwrs. Doedd dim troi arno unwaith y câi ei getyn i fygu a'i ben ôl ar y soffa. Wrth gwrs chaem ni'r plant ddim aros i lawr i seiadu. Rhyw 'Reit blantos, amser clwydo, i'r cae sgwâr 'na â chi,' oedd ein tynged ni bob tro. Weithiau byddai'n dod â chariad hefo fo. Rwy'n cofio cael fy nghyflwyno i ryw ddynes o Wrecsam, ac wedi deall, bu'n ei chanlyn am flynyddoedd. Un ddi-Gymraeg oedd honno ac yn ofnadwy o hen, yn rhy hen dybiwn i ar y pryd i redeg ar ôl Yncl Math a phethau felly. Ond roedd y naill fel y llall wedi mopio ac yn ymddwyn fel, wel fel dau gariad am wn i. Ar brydiau byddent yn gwneud i ni deimlo braidd yn anghysurus. Cydiai Yncl Math yn ei llaw yn dragwyddol ac unwaith daliais o'n dwyn sws yn y lobi. Chefais i fawr o glust gan Mam pan geisiais rannu 'nghyfrinach hefo hi fore trannoeth, dim ond rhyw 'Twt, twt,' bach nerfus.

I mi roedd hi'n sefyllfa od ar y naw. Dau gariad yr un oed â 'nhad a mam. Nid yn unig hynny, ond roedden nhw'n siarad Saesneg. Anaml iawn y digwyddai hynny yn ein tŷ ni ac roedd gwrando ar Yncl Math a 'nhad yn siarad yn posh yn rhywbeth i'w ryfeddu ato.

Yna'n ddirybudd diflannodd Lil o Wrecsam a dechreuodd Yncl Math ddod â dynes arall acw. Mair oedd ei henw hi ac roedd hi'n siarad Cymraeg; dynes dipyn agosach atoch chi na'r llall. Wrth wrando ar sgyrsiau 'nhad a mam pan na ddylwn fod yn gwrando, deuthum i sylweddoli fod pethau'n go seriws rhwng Yncl Math ac Anti Mair ac, mewn cyfnod cymharol fyr, roeddynt wedi priodi. Priodas ddistaw ddi-ffws yn ystod diwrnod gwaith ym mis Mawrth 1956. Nid oedd yr un o'r ddau wedi dweud dim wrth neb. Er eu bod yn aelodau gweddol selog yn y Capel Mawr penderfynu priodi yn Swyddfa'r Cofrestrydd yn Rhuthun wnaethon nhw a'r ddau yn cyrraedd yno ar fysys Crosville gwahanol. Yncl Math ar y bws deg a Mair yn dilyn ymhen rhyw hanner awr wedyn, jyst rhag ofn i rywun eu gweld hefo'i gilydd a gollwng y gath o'r cwd. Bachwyd dau o ddieithriaid oddi ar un o strydoedd Rhuthun i fod yn dystion ac ni chafwyd unrhyw fath o wledda a rhyw gongo felly. O adnabod y ddau rwy'n siŵr mai ar eu pennau i'r caffi agosaf yr aethant am y brecwast a mwynhau pob munud ohono.

Yn ôl a ddywedodd fy nhad, yr esgus a roddodd Yncl Math dros fynd i Ruthun y diwrnod arbennig hwnnw oedd bod dyn busnes go amlwg o'r dre honno wedi addo rhoi hysbyseb go sylweddol yn *Y Faner*.

'Fedrwch chi gredu'r peth?' meddai 'nhad, 'mynd yno i nôl hysbyseb a dŵad yn ôl hefo gwraig! Dim ond Math alla' neud hynny!'

Yn yr un flwyddyn wrth gwrs enillodd Math y gadair yn 'Steddfod Aberdâr am ei awdl 'Gwraig'. Roeddynt yn deall ei gilydd i'r dim a Math, gan amlaf, yn gwybod pryd i dewi. Bu'r drefn yn angharedig wrthynt ac ni chawsant blant, dyna pam hwyrach iddynt ein hanner mabwysiadu ni, a buont yn hynod o garedig. Pan fu farw Mam, Yncl Math ac Anti Mair oedd y cyntaf i gael gwybod ar ôl torri'r newydd wrth y teulu agosaf, a buont yn gysur a chefn inni yn ystod y cyfnod trist hwnnw. Ar ôl colli Mam bu 'nhad yn ymwelydd cyson â Gallt y Coed weddill ei fywyd. Gwyddai y câi ddweud ei gŵyn a gwyddai y câi lond tŷ o gydymdeimlad a sylw.

Pan oeddynt yn llafnau rhyfygus ar ddechrau eu gyrfaoedd, bois motobeics oedd y ddau – un yn ohebydd papur newydd yng nghyffiniau Caernarfon a'r llall yn ddyn siwrans hefo Pearl. Hefo'r trwyddedau hynny y daethant i ddechrau gyrru ceir. Ni chafodd yr un o'r ddau wers ffurfiol yn eu bywyd, na gorfod wynebu unrhyw fath o brawf gyrru, a'r gwir ydi eu bod yn yrwyr anobeithiol, y naill cyn waethed â'r llall.

Un o'r troeon cyntaf i mi gofio cael reidan gan Yncl Math oedd pan gynigiodd fynd â fi a Mr a Mrs Gwilym Edwards, ffrindiau fy rhieni, i edrych am fy mam oedd yn gwla yn Ysbyty Alexandra, y Rhyl. Cychwynnodd ar wib i lawr Stryd y Dyffryn, gallt hir sy'n arwain o ben y dre i lawr i Ffordd y Rhyl yn y gwaelod. Sgrialu i'r chwith ar waelod yr allt ac mi daeraf hyd heddiw mai ar ddwy olwyn yr aethom rownd y tro hwnnw, rhyw grafu o fewn modfeddi i gar oedd wedi ei barcio ar y chwith inni a chael a chael i osgoi car arall ddaeth tuag atom o rywle. Aeth Gwilym Edwards yn annaturiol o dawel yn y sedd flaen a gallwn weld bonion ei glustiau yn gwelwi. Rhyw bwnio'n gilydd a rhichian chwerthin yn nerfus wnaethom ni'n dwy yn y cefn ac ni thorrwyd gair rhyngom yr holl ffordd i'r Rhyl.

Os oedd o'n un sgut am drin geiriau, caboli llinellau a deall rheolau astrus gramadeg a ballu, roedd o'r salaf fyw hefo unrhyw beth mecanyddol. A dweud y gwir, roedd o'n beryg bywyd. Doedd o ddim yn foi peiriannau o gwbl. Rwy'n ei gofio fo'n rhoi archwiliad i'r car cyn cychwyn am ryw 'steddfod neu'i gilydd, a hwnnw'n llawn i'r ymylon. Agor y bonet, cael cip sydyn i weld a oedd pethau lle dylen nhw fod, a phe tasen nhw ddim ni fuasai wedi bod ronyn callach. Procio a thynnu yma ac acw fel tase fo'r mecanic gora'. Clep i'r bonet wedyn nes byddai'r car yn sgrytian, tro sydyn o gwmpas gan roi cic i bob teiar yn ei dro a rhyw 'Iawn', awdurdodol cyn galw ar Mair.

Roedd o'n go lew os oedd y ffordd yn gyfarwydd ond roedd dieithrwch yn ei daflu oddi ar ei echel yn syth bin. Doedd o chwaith, fel y crybwyllwyd, ddim mor amyneddgar ag y gallai fod y tu ôl i olwyn car. Wrth ailwampio darn o'r ffordd ar gyrion y dre 'cw i greu cylchfan newydd, rai blynyddoedd yn ôl bellach, bu'n rhaid creu rhyw ffordd dros dro. Mae unrhyw fath o waith ar y ffordd yn creu dryswch ac yn codi gwrychyn y gorau, ond i Yncl Math roedd fel cadach coch i darw ac yn groes i'r graen go iawn. Y bore arbennig yma pan adawodd y dre i bicio i'r Rhyl roedd popeth yn normal, ond pan ddychwelodd rai oriau yn ddiweddarach roedd cyfeiriadbyst newydd, dryslyd ar y naw yn ôl Math, yn llanast ym mhobman. Aeth i banics llwyr ac yn hytrach na mynd o gwmpas y cylchfan fel pawb arall fe laniodd Yncl Math yn dwt ar ei ganol. Cyn iddo sylweddoli beth oedd wedi digwydd bron roedd yna oleuadau glas yn fflachio y tu ôl iddo, plisman hanner ffordd i mewn i'r car a swigan lysh o dan ei drwyn o. 'Y sarhad,' meddai Yncl Math, 'a finnau wedi mynd ar fy llw mai'r peth cryfa ron i wedi'i yfad y diwrnod hwnnw oedd glasiad o fimto mewn caffi yn Rhyl.' Bu'r digwyddiad yn destun tynnu coes am wythnosau.

Pob dydd Gwener a dydd Llun am flynyddoedd maith byddai fy nhad ac yntau yn ei throi hi am y Bala i ddarllen proflenni'r *Faner* ar y naill ddiwrnod a'i roi yn ei wely ar y llall. Achlysuron y byddai'r ddau yn edrych ymlaen yn arw atyn nhw. Byddent yn cael eu trin fel dau frenin, eu dandwn a'u difetha'n racs. Y mynd a'r dŵad a boenai 'nhad achos, yn ddieithriad, Yncl Math fyddai'n gyrru. Fe fynnai hynny.

'Chênj bach i Gwilym,' medda fo. Y creadur, tasa fo ddim ond yn gwybod beth feddyliai 'nhad o'r 'Chênj', ond roedd o'n ormod o fêt i frifo'i deimladau o. Synnwn i ddim nad yn ystod y cyfnod yma y collodd 'nhad hynny o wallt oedd ganddo'n sbâr. Roedd rhai o'r straeon am anturiaethau'r ddau ar eu pererindodau wythnosol tua Phenllyn yn ddigon i godi gwallt pen unrhyw un ac yn destun tipyn o ddifyrrwch i ni fel teulu ar bnawniau Sul pan ddeuai 'nhad draw am ei ginio.

Un stori oedd honno amdano ar ras wyllt i gyrraedd adre rhyw bnawn Gwener ac yn sownd y tu ôl i lori wartheg. Tystiai 'nhad bod gorffwylltra y tu ôl i olwyn car yn bod ymhell cyn i bobl y cyfryngau fathu term amdano. Roedd Yncl Math mewn rhwystredigaeth ar y ffordd yn gyfystyr â chynddaredd medda fo. Beth bynnag, roeddynt wedi bod wrth gwt y lori 'ma am filltiroedd yn rhyw falwena mynd a phan welodd Yncl Math gilfan go hir yn ymyl Gwyddelwern yn rhywle, rhoddodd ei droed i lawr a cheisio goddiweddyd ar y tu fewn. Methu ddaru o, a hallt fu ei feirniadaeth am yrwyr anystyriol weddill y daith yn ôl i Ddinbych, a sawl taith arall gellwch fentro. Ddyfynna i mo union eiriau 'nhad ond digon ydi dweud i Math wneud pethau gwirion. Do, yn ôl y sôn, fe gawsant droeon digon dyrys a sawl dihangfa wyrthiol.

Un diamynedd iawn oedd Yncl Math os oedd pethau'n mynd o chwith. Rwy'n cofio galw ar amser braidd yn anffodus, diffyg meddwl yn fwy na dim oedd yn gyfrifol am hynny, ond roedd hi'n amser swper yng Ngallt y Coed ac yntau'n laddar o chwys yn aildwymo gweddillion lobsgows y Sadwrn cynt. Yn hytrach na chadw llygad ar y sosban daeth i'r stafell fyw i siarad. Ymhen rhyw bum munud gallwn weld mwg du yn dod o gyfeiriad y gegin a dechreuodd y larwm tân nadu yn y cyntedd. Cododd Yncl Math ar ei hyll a'i hanelu hi am y cyntedd, es innau am y stof a diffodd y gwres. Roedd sbarion y lobsgows wedi glynu yn gacen ddu anghynnes i waelod y sosban a'r wledd wedi ei difetha. Yn y cyntedd roedd 'na gystadleuaeth rhwng nadu'r gloch dân ac Yncl Math yn hefru. Yna sŵn colbio – colban ar ôl colban – yna clec a thawelwch. Daeth Yncl Math drwy'r drws hefo ffon fagl yn un llaw a gweddillion y gloch yn y llall.

'Sglyfath swnllyd,' medda fo gan ei thaflu i'r fasged. Does gen i ddim syniad beth gawson nhw i swper y noson honno ond gwn fod cloch dân newydd sbon danlli wedi ei gosod erbyn i mi fynd yno'r tro wedyn, ond yr un fu tynged honno hefyd, a sawl un arall.

Dro arall a ninnau newydd sodro'n hunain yng nghanol y papurau ar y soffa dyma fo'n gofyn i'm gŵr gael cip ar y tanc dŵr oer.

'Does 'na ddim hast felly,' medda fo gan godi'n union i agor un o'r cypyrddau oedd o boptu'r tân. 'Mae 'na rwbath yn gollwng yn rwla,' medda fo wedyn, 'achos mae'r papura ma'n doman.' Mae gan y gŵr ofn dŵr a thrydan achos dydi o ddim yn gwbod beth sy'n mynd i ble a pham. Chyfaddefodd o mo hynny wrth Yncl Math chwaith a chododd i gael sbec. Roedd 'na dipyn go lew o leithdra ar y silffoedd uchaf oedd agosaf at y tanc a dyma ymestyn ar flaenau'i draed ar un o'r cadeiriau i gael bod yn nes at yr achos. Ac mi gwelodd o: darn o gortyn, un pen wedi'i glymu i fach yn un o'r distiau a'r llall i fraich y belen yn y tanc. 'Weithith hwn byth,' meddai'r gŵr, 'a fynta wedi'i glymu fel'ma.'

'Mi fuo fo'n chwythu fel neidar am dro byd,' meddai Yncl Math, 'nes oedd o wedi mynd ar 'y nyrfs i. Roedd rhaid i mi neud rwbath.' Na, doedd o ddim yn ddyn ymarferol o gwbl.

Bob tro pan ddeuai'n amser i ni adael, hoffai ddefnyddio ymadrodd a briodolai i Eddie Simon, gŵr a gydweithiai ag o yng Ngwasg Gee, a dywedai ag arddeliad, 'Wel diawl a'm gado, pan dwi'n dechra'ch licio chi, 'dach chi'n mynd.'

Ni allech greu un difyrrach i fod yn ei gwmni ond, er iddo dreulio blynyddoedd fel athro gyda'r WEA ac yn amlwg iawn hefo gwahanol gymdeithasau a mudiadau, doedd o ddim ymhlith mawrion siarad cyhoeddus. Tueddai i fwmian braidd, gan siarad i gyfeiriad ei bengliniau. Un noson roedd o'n cadeirio un o gyfarfodydd y Gymdeithas Gymraeg yn y dre ac yntau newydd fod ym Mangor yn recordio un o raglenni Ymryson y Beirdd. (Mae'r criw bach dethol hwnnw bellach wedi ein hen adael a'r tynnu coes, y straeon a'r atgofion wedi mynd i'w canlyn mwya' bechod). Pan

43

ddarlledwyd y rhaglen ymhen ychydig wedyn roedd ei lais fel cloch a phob gair i'w glywed. Tua diwedd y cyfarfod daeth yr hen Ddoctor Thomas i mewn ac eistedd tua chefn y stafell. Er trio bob sut, ni allai yn ei fyw wneud na phen na chynffon o'r hyn oedd Yncl Math yn ei ddweud. Cododd 'rhen ddoctor ar ei draed a gweiddi 'Uwch gyfaill, clywad chi'n well o Fangor 'na!'

Mae cyfrolau y gellid eu hysgrifennu, mae rhagor o straeon y gellid eu hailadrodd a mwy o gyfrinachau y gellid eu datgelu ond hwyrach bod codi'r mymryn hwn ar gwr y garthen wedi rhoi rhyw flas o'r pleser a gefais o adnabod Mathonwy Hughes. Roedd yn dalp o foneddigeiddrwydd ac yn gariad o ddyn.

Yr anwylaf o ddynion

WIL HUW PRITCHARD

Arferwn dreulio peth amser yn Ninbych gyda ffrindiau ym mhum degau'r ganrif ddiwethaf, a throi i mewn yn achlysurol i Wasg Gee. Cyfarfyddwn Mathonwy yn y cyfnod hwnnw. Gwelwn ef hefyd mewn eisteddfodau a chyfarfodydd o'r Blaid, a chofiaf ei gyfarfod pan es i roi sgwrs i Gymdeithas Gymraeg Dinbych ar fy mlwyddyn fel Gweinidog yn y Merica yn y chwe degau. Wrth ddod i'w adnabod yn y cyfnod hwnnw ychydig a feddyliais y busawn yn ddiweddarach yn weinidog arno am dros ugain mlynedd.

Ni fuaswn yn ei alw'n gapelwr mawr. Nid oedd yn ddyn dwy oedfa ac Ysgol Sul. Oedfa'r nos yn unig a fynychai, ond yr oedd yn ffyddlon iawn yn honno. Byddai ef a'i briod yn eistedd yn y sedd wrth y drws i'r chwith o'r pulpud. Anaml y byddai'n mynegi barn ar bregeth nac ar bregethwr, ond pan wnâi byddai ei sylwadau'n dreiddgar. Ni fyddai byth yn colli cyfarfod o'r Gymdeithas – y Gymdeithas Lên a Cherdd y'i gelwid yn y Capel Mawr. Fel ym mhob cyfarfod arall, byddai ef a Mair ei briod yno gyda'i gilydd. Mwynhâi y cyfarfodydd, a byddai yn ei elfen yn sgwrsio dros baned ar y diwedd. Ni welais ef erioed yn y Cyfarfod Gweddi na'r Seiat. Fodd bynnag pan drowyd y Seiat yn Gylch Trafod teimlodd y gallai gael blas ar y cyfarfod ac ymhen peth amser dechreuodd ei fynychu. Daeth yn aelod gwerthfawr ohono, a bu'n eithriadol o ffyddlon. Arferwn alw amdano i'w gario yn fy nghar. Nid oedd erbyn y blynyddoedd diwethaf yn hoffi gyrru car ei hun yn y nos. Awgrymai llawer y byddai'n ddoethach iddo beidio gyrru car yn y dydd ychwaith, ond stori arall yw honno! Y ddealltwriaeth oedd gennym oedd ei fod ef yn rhoi gwybod i mi ymlaen llaw os na fyddai'n dod. Anaml iawn y digwyddai hynny. Gwnâi ymdrech fawr i fod yn bresennol bob wythnos, a bu ei gyfraniad yn un gwerthfawr eithriadol. Yr oedd ganddo wybodaeth eang ar lawer o bynciau, ac yr oedd yn sylwedydd craff ar faterion y dydd. Meddyliai'n ddwfn iawn am gwestiynau moesol a chymdeithasol, ac nid oedd yn fodlon ar atebion slic ac arwynebol. Mynnai roi sylfeini'r grefydd Gristnogol dan chwydd wydr, ac nid oedd ganddo unrhyw gydymdeimlad ag ystrydebau. Crefyddwr gonest ac ymchwilgar oedd bob amser. Methai dderbyn llawer o athrawiaethau'r ffydd Gristnogol. Mwynhâi eu trafod, ac yr oedd ganddo gryn wybodaeth amdanynt, ond ni olygent fawr iddo. Prin y byddai neb yn ei alw'n uniongred ac yn sicr nid ystyriai ef ei hun felly. Ar yr un pryd yr oedd Cristnogaeth yn bwysig ryfeddol iddo. Parchai'r capel yn fawr a gwelai ei bwysigrwydd ym mywyd cymdeithas. Cynrychiolai iddo y gwerthoedd oedd yn hanfodol i gymdeithas wareiddiedig. Y ddysgeidiaeth Gristnogol oedd yn bwysig iddo, ac nid amheuai mai hi oedd unig sylfaen cymdeithas iach. Y gwerthoedd Cristnogol oedd sylfaen ei holl agwedd at fywyd. Bu ef ei hun yn dystiolaeth gadarn iddynt.

Diau y bydd eraill yn y gyfrol hon yn cyfeirio at ei ffyddlondeb i Gymdeithas Gymraeg Dinbych. Ni chollai byth gyfarfod, a byddai'n cael boddhad mawr yn gwrando ar y darlithiau ac yn cymdeithasu. A phrin mai fi yn unig fydd yn cyfeirio at ei frwdfrydedd adeg sefydlu'r Papur Bro, *Y Bigwn*, a'i wasanaeth iddo ar hyd y blynyddoedd. Gwerthfawrogai bob ymdrech a wneid i gynnal bywyd Cymraeg y dref, a byddai'n cefnogi pob Bore Coffi a phob ymdrech i godi arian. Byddai wrth ei fodd yn cymdeithasu ymhob achlysur o'r fath. Bron iawn na ellid ei alw'n 'sefydliad', er nad yw gair o'r fath yn gweddu i un oedd yn gymaint o unigolyn. Un Mathonwy oedd, ond yn rhan annatod o'r gymdeithas. Gwyddech wrth gychwyn i unrhyw gyfarfod y byddai ef yno, ac y byddai yn ei afiaith yn tynnu coes a phryfocio, ac y byddai ei wên a'i chwerthiniad yn llonni'r gwmnïaeth. Wrth ei ochr yn ddieithriad byddai ei briod, Mair. Pan fyddid yn holi pwy oedd mewn rhyw gyfarfod neu'i gilydd, byddai'r ymadrodd 'Math a Mair' yn siŵr o gael ei ddefnyddio. Byddent yn mynd gyda'i gilydd i bobman – hyd yn oed i siopio i'r archfarchnad oedd gyferbyn â'u cartref. Ni fyddai unrhyw atgofion am Math yn fy nghyfnod yn Ninbych yn gyflawn heb gyfeirio at ffyddlondeb y ddau i'w gilydd, a'r berthynas naturiol a diffwdan oedd rhyngddynt. Roedd rhywbeth yn drist ac ar yr un pryd yn bwrpasol fod y ddau wedi marw o fewn ychydig wythnosau i'w gilydd.

Adwaenwn amryw a fu'n aelodau o'i ddosbarthiadau nos. Tybient oll iddo gyfoethogi eu profiad o farddoniaeth Gymraeg. Yr argraff a gefais wrth wrando arnynt oedd ei fod yn athro oedd yn disgwyl i aelodau'r dosbarth fod yn frwdfrydig. Rhoddai yntau o'i orau a chafodd foddhad mawr yn y gwaith. Nodwyd ar siaced lwch ei lyfr *Awen Gwilym R.* i Mathonwy gael ei addysg yn 'Ysgol y Cyngor, Nebo, Ysgol Clynnog, Dosbarthiadau Cymdeithas Addysg y Gweithwyr a Dosbarthiadau Tiwtorial y Brifysgol'. Teimlai ddyled i 'Ddosbarthiadau Nos' ac yr oedd yn naturiol iddo ddal i'w cefnogi ar hyd ei oes. Soniai aelodau'r dosbarthiadau'n annwyl iawn amdano.

Cefais lawer o gyfle dros y blynyddoedd i ymweld ag ef yn ei gartref. Pleser digymysg oedd galw yng Ngallt y Coed. Mathonwy fel arfer a ddeuai at y drws. Goleuai'r wên groesawgar ei wyneb. Yn aml iawn amneidiai arnaf i beidio dweud dim rhag i Mair adnabod fy llais. Mewn llais uchel dywedai 'Rhyw foi bach o Sir Fôn sy 'ma. Well iddo fo gael dwad i mewn yn tydi?' Fel arfer byddai tanllwyth o dân, ac eisteddem wrth y tân yng nghanol y llyfrau a'r cylchgronau. Ar ôl i mi eistedd, y cwestiwn cynta'n ddieithriad fyddai, 'Wel, sut hwyl sy' fachgan?' Wedyn mi fyddai'n gofyn sut roedd y teulu. Nid gofyn am ei fod o'n beth arferol gofyn y byddai, ond am ei fod wirioneddol eisiau gwybod, ac mi fyddai'n gwrando'n astud ar beth bynnag fyddwn i'n ddweud amdanyn nhw. Wedyn mi fyddai'n holi am iechyd neu hynt a helynt pobl eraill oedd o'n feddwl fuaswn i wedi'u gweld yn ddiweddar. Roedd ganddo ddiddordeb gwirioneddol mewn pobl, ac mi fyddai'n llawn cydymdeimlad os byddai rhywun mewn unrhyw ofid ac yn llawen iawn os byddai rhywun wedi cael rhyw lwyddiant neu newydd da.

Treuliais oriau difyr yn ei gwmni. Roedd o'n gwmnïwr

diddan a diddorol. Siaradai weithiau am ei blentyndod yn Nyffryn Nantlle. Meddyliai'n uchel o'r gymdeithas werinol yno oedd wedi rhoi gwreiddiau mor gadarn iddo. Ymhyfrydai yn ei dras, a siaradai'n aml am rai o'i deulu. Cyfeiriai'n fynych at 'f'ewyrth Silyn'. Hwyrach fod dylanwad Silyn, oedd mor frwd dros Addysg y Gweithwyr, wedi bod yn bwysig i'w arwain i fanteisio ar y cyfleusterau a gynigiai mudiad Addysg y Gweithwyr iddo i barhau ei addysg. Ni ellid bod yn ei gwmni'n hir heb fynd i Ddyffryn Nantlle'i faboed. Hoffai hefyd gyfeirio at ei gyfnod yn Ysgol Clynnog, ac at rai o'r athrawon a'r myfyrwyr oedd yn cydoesi ag ef yno. Bu'r addysg a gafodd yng Nghlynnog a'r ddisgyblaeth yn bwysig iawn yn ei ddatblygiad. Rhoddodd fin ar y gallu cynhenid a feddai. Darpar weinidogion oedd y mwyafrif o'i gyd-ddisgyblion yn Ysgol Clynnog. Chwaraeodd yr ysgol ran bwysig iawn yn rhoi cefndir addysgol i lawer a ddaeth yn weinidogion cymeradwy a llwyddiannus. Dilynodd Mathonwy eu gyrfaoedd gyda diddordeb mawr, a gwyddai ymhle yr oeddynt wedi bod yn gweinidogaethu a pha fath o gyfraniad a wnaethant. Gwerthfawrogai'r gwmnïaeth a gafodd gyda hwy yng Nghlynnog a buont yn gyfeillion iddo ar hyd eu hoes ac yntau'n gyfaill iddynt hwythau. Hwyrach fod ei brofiad yng Nghlynnog yn egluro pam yr oedd mor gartrefol yng nghwmni gweinidogion. Teimlais innau yn hollol gartrefol yn ei gwmni yntau, ac rwy'n sicr mai dyna brofiad pawb fu'n weinidog arno.

Nid mewn pennod fer o atgofion y mae'r lle i sôn amdano fel cynganeddwr. Bodlonaf ar nodi un peth a'm trawodd wrth fod yn ei gwmni. Ymddangosai ei fod yn cynganeddu heb yn wybod iddo'i hun. Deuai llinellau o gynghanedd yn fynych i'w sgwrs. Weithiau ar ôl dweud rhyw frawddeg fe ddywedai gyda gwên ar ei wyneb – 'roedd honna'n gynghanedd fachgan'. Gresyn na fuaswn wedi ysgrifennu rhai ohonynt i lawr er mwyn gallu eu cofio. Buasai'n braf gallu ail-fyw'r munudau a chofio'r sgyrsiau oedd wedi eu hysgogi. Wrth gwrs, tasg amhosib fyddai bod wedi eu nodi, gan fod cymaint ohonynt ar bob sgwrs.

Cofiaf un amgylchiad, a bydd hynny'n dangos y nodwedd arbennig hon o'i ddawn. Fel yr agosâi dydd fy ymddeoliad yr oedd amryw o'r aelodau'n ymddiddori yn y cwestiwn lle y buasai Megan a minnau'n mynd i fyw. Ein dewis ni oedd Llandrillo-yn-Rhos. Nid yw'r rhesymau dros y dewis na'r ffaith na wireddwyd y freuddwyd yn berthnasol yn y cyswllt hwn. Ar un o fy ymweliadau rhyw ddwy flynedd cyn ymddeol gelwais yng Ngallt y Coed. Yn fuan iawn yn y sgwrs gofynnodd Mair, 'Ydi o'n wir bod chi wedi prynu byngalo yn Rhos-on-Sea?' Roeddwn wedi clywed gan rywun arall hefyd ein bod wedi prynu, felly mae'n rhaid fod y stori'n cael ei dweud yn y dref. 'Naddo,' meddwn i, 'ond dyna fasa ni'n hoffi wneud.' Dyma Mathonwy'n torri i mewn i'r sgwrs 'Rhusio'n syth i Rhos-on-Sea'. I rywun fyddai'n gweld symud o Ddinbych i'r arfordir yn anghydnaws rhusio yn wir fyddai'r disgrifiad cywir.

Weithiau mewn sgwrs yn y tŷ digwyddwn ddweud rhyw ymadrodd nad oedd Math wedi ei glywed o'r blaen. Gan fy mod wedi byw mewn gwahanol rannau o Gymru tueddaf i ddefnyddio ymadroddion tafodieithol o'r gwahanol ardaloedd. Ar sgwrs tueddaf hefyd i gofio am ryw ymadrodd fyddai ar arfer yn Llangwyllog fy mhlentyndod, neu rywbeth fyddai wedi fy nharo yn ffordd gyrhaeddgar neu liwgar o ddweud rhywbeth. Byddai llygad Math yn pefrio ambell dro, a'i fraich yn cyrraedd am ryw lyfr nodiadau bychan oddi ar silff. 'Chlywais i rioed mo hwnna o'r blaen. Sut yn hollol roedd o'n mynd?' Wedi i mi ei ailadrodd mi fyddai'n mynd i'r llyfr bach. Byddai'n gwneud nodyn o unrhyw ymadrodd fyddai'n apelio ato ar sgwrs pawb fyddai'n ymweld efo fo. Rhaid fod miloedd o ymadroddion yn y llyfryn hwnnw. Un arwydd yn unig yw hyn o ddiddordeb Mathonwy yn yr iaith a'i chystrawennau a'i hidiomau a'i throeon ymadrodd.

Am atgofion y gofynnodd y cyhoeddwyr, felly nid yw'n berthnasol i gyfeirio at ei gyfraniad nodedig i lenyddiaeth ac i newyddiaduraeth. Y mae'r cyfraniad hwnnw'n aruthrol. Bydd ei farddoniaeth yn sicr o barhau i gael ei darllen a'i mwynhau am flynyddoedd i ddod. Y mae camp arbennig ar ei ryddiaith, gyda chyfoeth ei Gymraeg ac eglurder ei fynegiant yn drawiadol. Yr oedd graen ar bopeth a ysgrifennodd yn ystod ei oes faith. Cofio yr ydym yn y bennod hon am y cymeriad oedd yn rhan mor fawr o fywyd tref Dinbych yn y cyfnod yr oeddwn i'n byw yno. Bywiodd fywyd llawn iawn, a bu ei ddylanwad yn un dyrchafol. Byddai Dinbych wedi bod yn dlotach lle hebddo. Cofiwn amdano'n brasgamu hyd y dref. Cofiwn am ei Gymreictod, Cymreictod naturiol ac ymwybodol ar yr un pryd. Cofiwn am ei frwdfrydedd dros y pethau y credai ynddynt. Cofiwn am ei hiwmor a'i ddawn i weld yr ochr ddigrif i bethau. Chwerthai'n afieithus pan fyddai rhyw stori'n ei oglais neu ryw sylw'n ei daro fel un doniol. Cofiwn am ei sirioldeb a'i wên lydan a'i gyfarchiad cynnes. Dyn eithriadol o annwyl oedd Mathonwy, a rhyw agosatrwydd arbennig yn ei nodweddu. Roedd yn ŵr bonheddig o'i gorun i'w sawdl. Rhoddai werth mawr ar gyfeillgarwch, ac yr oedd rhyw gynhesrwydd arbennig yn ei berthynas â'i ffrindiau i gyd. Ni fu neb erioed mwy teyrngar nag ef. Cofiwn am ei wyleidd-dra. Yr oedd yn ddyn mawr o gorff a mawr o ran ei bersonoliaeth a'i gyfraniad. Eraill welai ei fawredd. Gostyngedig ac agos atoch oedd Mathonwy.

'Gweddnewidiwyd bro fy mebyd'

Golwg ar Farddoniaeth Mathonwy Hughes

PEREDUR LYNCH

Nid gwaith anodd o gwbl yw crynhoi nodweddion amlycaf barddoniaeth Mathonwy Hughes. Yn gam neu'n gymwys, byddaf i o hyd yn ei gyplysu â Gwilym R. Tilsley, Brinley Richards ac R. Bryn Williams. Beirdd eisteddfodol oedd y pedwar; daeth llwyddiant yng nghystadleuaeth y gadair i'w rhan yn y cyfnod ar ôl yr Ail Ryfel Byd, ac yn eu canu aneisteddfodol glynu'n bur ffyddlon at y rhigolau a dorrwyd ar gyfer barddoniaeth Gymraeg yn y cyfnod cyn y rhyfel fu eu hanes. Parhaodd y delyneg a'r soned yn fythol ir yn eu gwaith, a gwelir bod pwyslais y pedwar fel ei gilydd ar fydryddu cadarn a thraethu uniongyrchol a disgrifiadol. Ym mrwydrau esthetaidd diddorol y pumdegau a'r chwedegau, eu gwaith hwy, yn sicr ddigon, oedd y gwrthbwynt eithaf i ganu delweddol Euros Bowen ac i gampau ieithyddol Bobi Jones. Fel ei eilun mawr, R. Williams Parry, cyfosod geiriau'n grefftus oedd hanfod barddoniaeth yng ngolwg Mathonwy. Ac megis Simwnt Fychan, dichon y dadleuai yntau na wnaethpwyd cerdd erioed ond 'er melyster i'r glust, ac o'r glust i'r galon'.

Y mae hefyd un nodwedd thematig sy'n gyson amlwg yn y pedair cyfrol o farddoniaeth a gyhoeddwyd ganddo,

Ambell Gainc (1957), *Corlannau a Cherddi Eraill* (1971), *Creifion* (1979), a *Cerddi'r Machlud* (1986). Chwithdod am yr hyn a fu, a hynny yn sgil dadfeiliad y Gymru Gymraeg Ymneilltuol; honno yw'r thema amlwg. Ped agorai'r darllenydd unrhyw un o'i gyfrolau ar hap, dichon y trawai'n syth ar ryw agwedd arni. Wele agor *Cerddi'r Machlud* ar dudalen naw, a dyma ni ar ein pennau ym myd pruddglwyfus Mathonwy gyda thelyneg o'r enw 'Bro Fy Mebyd'. Y mae'r neges yn glir a diamwys: 'Gweddnewidiwyd bro fy mebyd, / Dieithr heddiw'i lliw a'i llun'. Yr hyn a welwn fynychaf yng ngherddi Mathonwy yw gŵr yn rhoi byd sy'n cyflym newid yn y glorian a'i gael yn gyson brin o'i gymharu â'r gymdeithas a'i magodd; gŵr yn ymgodymu â'r ffaith fod y seirff wedi hen gartrefu yn Eden ei blentyndod. O ran arddull, R. Williams Parry, fel y nodais, oedd y dylanwad mawr arno. Ond, fel yn achos cynifer o feirdd a fu'n pyncio yn ystod y pumdegau a'r chwedegau, y mae cryn dipyn o besimistiaeth gymdeithasol Gwenallt yn ei waith hefyd.

'Bydd dyn wedi troi'r hanner cant yn gweld yn lled glir / Y bobl a'r cynefin a fowldiodd ei fywyd e',' meddai Gwenallt ar ddechrau'i gerdd enwog 'Y Meirwon'. Ym mlynyddoedd ei aeddfedrwydd ni pheidiodd Mathonwy ychwaith â syllu'n hiraethlon ar y rhostir hwnnw rhwng Tal-y-sarn a Chwm Silyn, byd a oedd ar y ffin rhwng eangderau'r mynydd ar y naill law a bwrlwm y dyffryn diwydiannol ar y llaw arall. Fe ddylem gofio un peth serch hynny. Sonia Gwenallt yn ei gerdd am weld 'yn lled glir'. Nid gwir mo hynny. Nid hanesydd cymdeithasol mo'r bardd, ond un sy'n troedio'r ffin annelwig rhwng dychymyg a ffaith, rhwng myth a realiti. Wrth i

Mathonwy gynnig darlun inni o'r cynefin a'i mowldiodd, nid holi'n syml a ddylem a yw'n taflunio realiti, ond holi mewn gwirionedd pa werthoedd cymdeithasol, pa fythau a roddodd fod i'w ddarlun arbennig ef?

Wrth ddefnyddio'r gair myth, nid wyf – yn ôl yr arfer anffodus ddiweddar – yn ei gyfystyru â chelwydd. Cysyniad neu gred yw myth, cysyniad sy'n rym dylanwadol a chynhaliol, a hynny nid am ei fod yn wir, ond am fod pobl yn digwydd credu ynddo. Prin fod angen nodi mai'r hyn sydd wrth galon y rhan fwyaf o ganu Mathonwy i fro ei febyd yw myth 'gwerin Cymru'. Mae eraill, cyn hyn, wedi nodi priodoleddau'r myth hwnnw ac wedi olrhain ei darddiad. Fe ymffurfiodd yn ystod ail hanner y bedwaredd ganrif ar bymtheg yn dilyn gwarthnod y Llyfrau Gleision, a chafodd lansiad llenyddol heb ei ail yn llyfrau O. M. Edwards. Fyth er hynny bu dyrchafu'r gwerinwr nobl neu'r gwladwr diwylliedig yn ddefod lenyddol na phallodd yng Nghymru hyd yn oed heddiw. Ac onid wyf yn camdybio, fe gafodd y ddefod ail wynt yn sgil boddi Cwm Tryweryn. Wrth droi at waith Mathonwy digon fydd cyfeirio at y bryddest 'Corlannau' a ddaeth yn bur agos at gipio'r goron yn Eisteddfod Genedlaethol y Bala 1967. Mae'r corlannau adfeiliedig a ddarlunir yn rhan agoriadol y bryddest honno yn ein harwain yn naturiol ddigon at bortreadau o'r 'gwerinwyr garw, heini' a fu yn y dyddiau gynt yn corlannu eu diadelloedd ynghanol yr unigeddau. Ceir yma ddisgrifiadau digon hoenus o'r hwyl a'r asbri ar ddiwrnod cneifio, a dathliad hefyd o hwsmonaeth lygatgraff gwerin yr unigeddau. Er bod 'ambell gythraul' ar y llethrau, 'gwŷr na bu eu rhagorach, / gwerin ar ei gorau' oedd yr hen fugeiliaid. Oes, wrth reswm, a phrin y gwadai neb hynny, y mae yma dynnu ar brofiad. Yn ei ysgrifau hunangofiannol, *Atgofion Mab y Mynydd* (1982) yn fwyaf penodol, fe roes Mathonwy inni ddarlun cofiadwy o amgylchiadau ei fagwraeth ar dyddyn Brynllidiart, ac o'r ymgodymu diddiwedd â'r elfennau ac â daear grintach Eryri. Ond eto, o ran y gwerthoedd dyrchafol a ddethlir ynddi, cerdd sy'n perthyn i'r un byd â 'Gwerin Cymru' Crwys yw 'Corlannau' mewn gwirionedd. Gwerinwyr bochgoch O. M. Edwards sydd yma, ac nid bodau grotésg Caradoc Evans.

Os aeth llawer o egni llenyddiaeth Gymraeg yr ugeinfed ganrif i ddyrchafu'r gwerinwr o Gymro, o gyfnod yr Ail Ryfel Byd ymlaen fe ymroes ein llenorion hefyd i groniclo'i ddiflaniad a diflaniad y Gymru Ymneilltuol a'i creodd. Does ond yn rhaid cyfeirio at gerddi megis 'Cwm Carnedd' Gwilym R. Tilsley, 'Rhydcymerau' Gwenallt ac 'Adfeilion' T. Glynne Davies, er mwyn dangos pa mor eang ei ddylanwad fu'r math arbennig hwn o ganu. Yn ein rhyddiaith hefyd, mewn lleng o hunangofiannau lleol eu blas, troes croniclo diflaniad 'yr hen ffordd Gymreig o fyw' yn ddefod lenyddol. Y mae llawer o ganu Mathonwy hefyd yn perthyn i'r un haen. Y fwyaf llwyddiannus o'i gerddi i'r cyfeiriad hwn yw 'Brynllidiart'. Dyma lle bu dechrau'r daith; dyma'r gweundir a drodd ei daid yn dir gwndwn:

> Tir pell y diadelloedd,
> Darn di-werth a driniwyd oedd,
> Ond Eden i'm taid ydoedd.

Hwnnw â'i raw gynt fu'n trin
O'r cwm ei ran o'r comin,
Palu, palu ym mhob hin.

O'r mynydd oer mynnodd hwn
Droi gweundir yn dir gwndwn,
A'r fawnog yn rhywiog rwn.

Ond, o raid, cefnu ar yr hen ddyddyn fu hanes y teulu,
ac erbyn clo'r gerdd, gyda'r mynydd yn hawlio'r 'hendir
llwm' drachefn, y mae'r adfail sydd yno bellach fel
petai'n tyfu'n drosiad o fywyd a gwareiddiad a fu, o oes a
ffordd o fyw a ddiflannodd am byth. Na, ar un ystyr, does
yma fawr sy'n newydd nac yn wahanol yn y gerdd, a
byddai'n hawdd rhuthro i'r casgliad mai ymarferiad
llenyddol ar thema gyfarwydd a gawn. Yn sgil hynny, y
mae dirfawr berygl inni hefyd golli golwg ar aruthredd y
newid cymdeithasol ac ieithyddol a welodd Mathonwy
yn ystod ei oes ac a brociodd ei awen. Fe'i ganed yn 1901,
ac, yn ôl cyfrifiad y flwyddyn honno, yr oedd hanner
poblogaeth Cymru â gafael ar y Gymraeg. Ac edrych ar
hen Ddosbarth Gwledig Gwyrfai (a gynhwysai'r
cymunedau a dyfodd o gylch chwareli Dinorwig a
Dyffryn Nantlle), y mae'r ystadegau'n fwy syfrdanol
fyth. O'r 27,771 a drigai yno, roedd 98.4% yn medru'r
Gymraeg, gyda 20,423 ohonynt, ie, ymhell dros ddwy ran
o dair ohonynt, yn Gymry uniaith. Dyma'r byd y ganed
Mathonwy iddo: byd y porthid ei radicaliaeth
wleidyddol gan bapurau Caernarfon; byd y gofalai'r
capeli (yn bennaf) am ei anghenion ysbrydol, ac, er nad
yw brawdoliaeth 'buchedd B' yn ymddangos yng

ngherddi Mathonwy, byd trwyadl Gymraeg ei ofera difyr a'i siarad bras mewn tai tafarnau.

Wrth i Mathonwy sôn am ddiflaniad y byd hwn, down wyneb yn wyneb â thema arall, sef rhyw amharodrwydd sylfaenol i gofleidio'r byd modern, rhyw awgrym na ellir cymhathu'r bywyd Cymraeg ag o. I gymryd lle'r hen fywyd diddan a chymeradwy gynt daeth dynion gwellt a byd shabi sy'n bwdwr i'r bôn. O'r ymdeimlad hwn y tardd nifer o'r cerddi dychan sydd i'w cael yma ac acw yn y cyfrolau. Y mae'r ddau englyn a ganlyn, sy'n cyferbynnu chwarelwyr ddoe â gweithwyr ffatri heddiw yn enghreifftiau pur gynrychioliadol:

Yn gynnar i'w bargeinwaith – yr heidient,
   Siaradus orymdaith,
Gorbybyr greigwyr y graith,
Ddeillion ufudd, llawn afiaith.

Llach y glew bellach glywi – o loriau
   Milwrus y ffatri,
Lleisiau diras, cras eu cri,
Past-arwyr y posteri.

Wrth gwrs, y mae'r un ymdeimlad yn hydreiddio llawer o farddoniaeth Gymraeg yr hanner can mlynedd diwethaf. Mynd ar ei ben i ddistryw y mae'r byd, a'r gelynion marwol yw gwyddoniaeth a'r diwylliant Eingl-Americanaidd. Unwaith eto, gellid dadlau bod a wnelom yma â syniad neu fyth, ond nid myth a gofleidir gan bob un o'n beirdd mohono. Un o'r pethau rhyfeddol ynghylch awdl 'Cynhaeaf' Dic Jones yw gweld bardd gwlad yn ymagweddu mor gadarnhaol tuag at wyddoniaeth. Yn yr un modd, yr elfen sy'n rhoi hynodrwydd i waith Gwyn Thomas yw bod mesur o gymod rhwng ei Gymru ef a'r diwylliant Eingl-Americanaidd.

★ ★ ★

Wrth olrhain rhai themâu yng ngwaith Mathonwy, yr hyn a welsom hyd yma oedd bardd yn troedio llwybrau tra chyfarwydd ac yn canu'n loyw mewn ffurfiau cydnabyddedig. Wrth droi, serch hynny, at yr awdl 'Gwraig', yr awdl a gipiodd iddo gadair yr Eisteddfod Genedlaethol yn 1956, yr ydym yng nghwmni bardd a dorrodd dir newydd yn hanes yr awdl eisteddfodol. Fel awdl ddychan neu awdl ddoniol y'i disgrifir gan y beirniaid, er mai priodol hefyd fyddai ei hystyried yn barodi ar ffurf yr awdl eisteddfodol yn nhraddodiad 'Ymadawiad Cwrcath' Waldo Williams neu 'Yr Hwyaden' R. Williams Parry. Ac wrth edrych ar hanes cystadleuaeth y gadair yn ystod y ganrif a fu, y mae hefyd yn werth cofio bod 'Gwraig' Mathonwy, 'Y Sant' Gwenallt, rhai o ymdrechion Euros Bowen yn ystod y pumdegau a'r chwedegau, ac, yn fwy diweddar, 'Y Môr' Twm Morys yn ymffurfio'n ddosbarth digon diddorol. Dyma'r gwrthodedigion (ar wahân i gerdd Mathonwy, wrth gwrs), cerddi sydd naill ai'n dryllio difrifwch epigaidd yr awdl neu'n gwyro'n rhy bell oddi wrth gyfarwyddiadau John Morris-Jones ynghylch priod iaith ac arddull y canu caeth. Yr amharodrwydd i iawn werthfawrogi hyn, a'r anallu hefyd i weld yr elfen eironig barodïol ynddi, a roes fod i'r syniad cyfeiliornus fod 'Gwraig' Mathonwy yn awdl wan.

A hithau'n barodi o awdl, y mae'n naturiol mai parodi

o 'arwr' sy'n llefaru ynddi. Nis enwir, ond rhyw lipryn o ddiriad ydyw, a dywed wrthym yn rhan gyntaf y gerdd fel y bu iddo gael ei hudo gan ferch o'r enw Rose yn 'llewych yr Odeon'. Mae rhyw elfen o barodi yng nghymeriad Rose hefyd ac yn nhroeon eu stori serch. Serch llesmeiriol 'Yr Haf' a'i ben i lawr sydd yma ac wedi'i droi'n wawdlun. Trodd Rhiain yr Haf yn ferch fursennaidd a'i thrwyn mewn magasîn. Symudasom o 'Lannerch yr Oed' i sinemâu a thefyrn llaeth Cymru'r pumdegau; trodd yr 'yfed o riniau'r gafod rawnwin' yn 'Yr Haf' yn 'lemonade trwy gwilsyn' ac yn beintiau dirifedi o Bass erbyn 1956! Priodol iawn hefyd yw bod yn y gerdd ddôs dda o ddadrith serch. Erbyn yr ail ran y mae'r 'arwr' a Rose wedi hen briodi ac yn byw gyda'u hepil swnllyd mewn tŷ cyngor eithriadol o lwm. Wedi'r gwynfyd yn yr Odeon, rhyw fyw blêr a di-lun yw eu tynged bellach, ac i goroni'r cwbl collodd Rose ei harddwch gynt a throdd 'yn wraig ofer ac afiach'. Er mai pur ddigalon yw'r darlun ohonynt yng nghanol eu llanastr, ceir awgrym bychan yng nghlo'r gerdd fod haul ar orwel ac y gallai eu cyd-fyw â'i gilydd rywbryd brifio'n wir gariad. Mae hynny, wrth reswm, yn cyferbynnu â'r trachwant cnawdol a'u denodd ynghyd yn rhan gynta'r gerdd ac a'u harweiniodd i'r fath drybini.

O ran iaith ac arddull, o ran y stori anaruchel a adroddir ynddi, y mae yn yr awdl gryn newydd-deb, ac yr oedd hynny'n amlwg i'r mwyaf praff ei feirniadaeth yn Aberdâr, T H. Parry-Williams: 'cyfoesedd yw'r elfennau amlycaf ynddi, a'r dicsiwn yn deillio'n helaeth o'r iaith lafar fodern yn ei grym ac ar ei mwyaf cymysgryw – yr iaith-siarad bob-dydd, gyda'i benthyciadau syth, diwrido, arferedig'. Oes, y mae yma leng o eiriau ac ymadroddion 'anfarddonol' – points, ciwt, magasîn, diawl o dwb, tebot te, dyna rai – a wnâi i John Morris-Jones droi yn ei fedd. Ac eto, unwaith y dechreuwn grafu dan yr wyneb, unwaith y dechreuwn holi pa fath o agweddau a roes fod i'r gwawdluniau yn yr awdl, yr ydym yn ôl yn bendant ddigon gyda rhai o'r themâu cyfarwydd y buom eisoes yn ymdrin â hwy. Byd drwg yw'r byd modern yn yr awdl hon, ac y mae'r diwylliant Eingl-Americanaidd yn llwyr gyfystyr â byw blêr a llacrwydd moesol. Y tu cefn i'r dychan, mae rhywun hefyd yn gweld rhai o werthoedd canolog hen Ymneilltuaeth-Ryddfrydol ardaloedd y chwareli. Ar allu'r unigolyn i reoli ei dynged a dod ymlaen yn y byd y bu'r pwyslais Rhyddfrydol, a hynny, wrth gwrs, ar yr amod ei fod yn cael chwarae teg ar y naill law, a'i fod, ar y llaw arall, yn fodlon ysgwyddo'i gyfrifoldeb a manteisio ar ei gyfle yn hyn o fyd. O'r safbwynt hwnnw, does ryfedd fod 'arwr' yr awdl hon yn destun y fath wawd. Sylwer, nid oherwydd grymoedd economaidd anorthrech y mae'n byw mewn hofel o dŷ cyngor, ond, yn sylfaenol, oherwydd ffolineb a gwendid cymeriad. Ni wyddom o ba le y mae'n hanu, ond mae'n werth nodi, serch hynny, mai cael ei rwydo gan ferch o'r dref fu ei hanes. Yn awr, y mae deunydd amlwg, goramlwg yn wir, i feirniad ffeminyddol gnoi cil arno yng nghymeriad Rosie. Dyma'r gwrthwyneb yn llwyr i ddelwedd Fictorianaidd 'y fam Gymreig'. Nid bod yma ymdrech i danseilio'r hen ddelwedd. I'r gwrthwyneb. Dengys y gwawdlun o Rose fod ansawdd cymeriad gwraig, yng ngolwg yr awdur, yn ddibynnol i raddau helaeth iawn ar hyfedredd domestig. Fe ddaliwn i hefyd fod yn y portread anghynnil o'r ferch ddi-ddal hon ryw elfen o'r dirmyg hwnnw o du'r gymdeithas chwarelyddol tuag at bobl y dref a'r gwastadeddau, ac fe ddaliwn ymhellach mai ewythr Rosie, neu ei thaid efallai, oedd Bertie ledieithiog yn *Traed Mewn Cyffion*.

★ ★ ★

Wrth dafoli gwaith Mathonwy yn yr ysgrif hon, buom yn canolbwyntio'n bennaf ar themâu penodol, ac fe ddangoswyd yn eithaf clir fod y themâu hynny'n rhai od o gyfarwydd yn hanes llenyddiaeth y ganrif a aeth heibio. Ni wyf yn nodi hynny gydag ystum ymddiheurol. Y mae'n werth cofio mai ffrwyth deffroad Rhamantaidd y ddeunawfed ganrif, i raddau helaeth iawn, yw'r syniad fod disgwyl i fardd gynnig myfyrdod gwreiddiol ac unigryw ar y byd a'i bethau. Pe troem i'r Oesoedd Canol, fe welem nad yn ôl ei allu i gynnig neges drosgynnol yr oedd mesur gwerth bardd, ond, yn hytrach, yn ôl ei allu i lunio amrywebau ar ffurfiau, deunyddiau a fformiwlâu digyfnewid. O'r safbwynt hwnnw, y mae llawer yng ngwaith Mathonwy sy'n boddhau. O ran adnoddau technegol, ei gryfder mawr yn ddiamau oedd cyfoeth ei eirfa, ei 'amlder Cymraeg' chwedl y Trioedd Cerdd. Ac nid sôn yn unig am yr iaith lafar yr wyf yma. Yn gefn i'w iaith gyhyrog roedd darllen disgybledig ac ymgyfarwyddo â phrif fannau llenyddiaeth Gymraeg. Yr amlder Cymraeg hwn a'i gwnaeth yn fydryddwr mor ddiymdrech. Mi gaf flas o hyd ar rai o'i gerddi yn y mesurau rhyddion. Dyna i ni'r gerdd 'Baled yr Heicwyr' sy'n atgoffa rhywun o ganu rhydd Twm o'r Nant ar ei fwyaf bywiog. Yr oedd Mathonwy hefyd yn gynganeddwr eithriadol o lithrig. Does dim dwywaith ynghylch hynny. Ar dro, byddai'r gallu hwn i gynganeddu mor ddiymdrech yn arwain at ganu llac ac anarbennig, ond fe luniodd hefyd englynion a darnau o gywydd gwirioneddol gofiadwy. Nid oes gwell enghraifft ohono'n canu'n afaelgar raenus na'r gerdd 'Jac Dafis' yn y gyfrol *Cerddi'r Machlud*. Unwaith eto fe'i gwelwn yn hiraethu am y dyddiau a fu. Cof plentyn am hen bladurwr uniaith sydd yma:

> Ei freichnoeth rym a'i frychni
> A'i fyw air a gofiaf i
> Ar egwyl fer o hogi.

> Y gwlith ar ddiferog lafn
> A gwawr lelog ar loywlafn.

Y mae'r cwpled olaf yn wirioneddol gyrhaeddgar, ac y mae'r gerdd ar ei hyd, er mai traethodol a disgrifiadol ydyw, yn procio'r dychymyg yn fedrus ar lefel drosiadol.